Signé de biais

Claire de Lamirande
Signé de biais
Roman

Quinze

Les Éditions QUINZE
3465, Côte-des-Neiges, Montréal

Distributeur exclusif pour le Canada:
Les Messageries Internationales du livre Inc.
4550, rue Hochelaga, Montréal H1V 1C6

Distributeur exclusif pour l'Europe:
Librairie Hachette
79, boul. Saint-Germain, Paris VIe (France)

Photo de la couverture: Kèro

ISBN 0-88565-007-7

Dépôt légal: 1er trimestre 1976
            Bibliothèque nationale du Québec

1

LE PLUS CREUX d'une longue journée où je n'arrivais pas à placer mon impatience, mon ennui. La sonnerie du téléphone comme la goutte, comme le cristal, comme la vibration, comme quoi encore : ce qui fait déborder, ce qui précipite la situation, ce qui rompt l'équilibre, ce qui déclenche tout.

C'était personne vraiment : une voix à peine audible, une intonation sourde, un accent emprunté. Moi, j'écoutais : il devait m'entendre respirer. J'écoutais attentivement sans faire trop d'efforts mais attentivement quand même.

« J'ai besoin de me confesser à quelqu'un, à n'importe qui. J'ai composé un numéro au hasard, mais il faut que vous m'écoutiez. Ne portez pas attention à ma voix ni à mes mots : ce n'est pas ma voix, ce ne sont pas mes mots non plus. J'ai besoin de me confier mais nous devons garder l'anonymat. Il ne faut jamais que vous puissiez me reconnaître : c'est très grave. »

J'écoutais : par désœuvrement, par curiosité aussi. À treize ans, on jouait des tours au téléphone : la jouissance que c'était de dire n'importe quoi, de mentir, de faire marcher les gens. À treize ans, j'ai bien failli être mis à la porte du collège. J'avais emprunté la voix du directeur et j'avais annoncé à tous les élèves de la classe que le professeur de français était mort : Dieu ait son âme et bon débarras ! Le lendemain, le directeur n'avait pas les larmes aux yeux mais il était très sérieux. En toute candeur sérieuse, il avait demandé au coupable de se dénoncer lui-même : en toute candeur, je m'étais avancé en face de lui. Il m'avait dit en toutes lettres : vous êtes noble, vous êtes noble. Je n'en étais pas encore revenu depuis toutes ces années.

« Ne raccrochez pas : je n'ai personne au monde à qui parler. Personne n'est plus seul au monde. Je vais faire bien attention pour ne dire que des mots sans signature. Il ne faut pas que vous sachiez qui je suis mais je vais vous dire ce que je suis : je suis l'homme au rasoir. Ne dites rien, vous n'avez pas besoin de rien me dire mais ne raccrochez pas, je ne mens pas, je suis vraiment l'homme au rasoir. Il y a quelques années, j'ai fait la première page de tous les journaux du pays. On a parlé de moi ailleurs aussi, je l'ai su. Ils me croient mort, je ne suis pas mort. Je vis, c'est bien moi. N'essayez pas de me reconnaître : ce n'est pas ma voix, ce ne sont pas mes mots ni ma façon de parler non plus. Ce n'est pas mon accent. Il n'y a rien de moi dans ce que je dis, vous ne pourrez jamais me reconnaître même si vous me rencontrez demain ou après-demain. J'ai tailladé les jambes de douze femmes, monsieur, douze. Je me suis arrêté quand j'ai été assouvi. Ils ne m'en ont pas été reconnaissants, peu s'en faut. »

Il continuait, le ton de plus en plus bas, l'accent de plus en plus rond. Au plus loin de lui-même : il se tenait là où personne au monde ne pourrait jamais le reconnaître, aux antipodes de lui-même. Et pourtant, moi, j'avais la sensation très nette qu'il s'était coupé quelque part. Quelque chose de lui me restait, du moins il me semblait qu'il avait de quelque façon signé son texte. C'est difficile de parler, de se confesser sans employer ses mots, ses expressions, ses intonations. C'est difficile de marcher longtemps hors de soi-même, hors de ses sentiers sans se recouper jamais.

«J'ai besoin de parler à quelqu'un. À qui voulez-vous que je dise que je suis l'homme au rasoir? J'ai essayé d'aller dans un vrai confessionnal: il y avait si peu de monde que j'ai eu peur. Au téléphone comme ça, on se sent à l'abri, surtout quand on se déguise au point où je me déguise. Il ne reste rien de moi-même dans ma confession sauf la vérité. Personne ne se doute de rien, peu s'en faut: je suis bien vu, j'ai l'oreille des honnêtes gens, de ceux qui font leur possible pour être honnêtes. Les criminels ne sont pas nombreux au fond et je me sens seul monsieur, je me sens seul, ne raccrochez pas. À qui voulez-vous que je dise que je suis l'homme au rasoir sinon à vous, à une personne sans visage, sans voix. Presque sans voix puisque tout ce que vous avez dit c'est: «allô!» Ne dites rien, j'aime mieux que vous soyez complètement anonyme. Vous êtes là, vous ne me refusez pas votre oreille, c'est assez. C'est curieux ce besoin que j'ai eu de parler à quelqu'un, à n'importe qui mais à un être humain: un être comme vous, sans visage, sans voix, sans accent, sans rien.»

— Il faut être désœuvré pour jouer des tours au téléphone. Tu es un étudiant en vacances?

— Il fallait que tu parles! J'aurais tant voulu que nous restions anonymes tous les deux. Maintenant, il me semble que je reconnaîtrai ta voix entre toutes.

— Non, je ne signe pas, moi non plus : moi aussi, je change de voix. Comme ça, tu es l'homme au rasoir ! Dis-moi une chose : tu aimes les femmes ou tu ne les aimes pas ?

— Je ne les aime pas, peu s'en faut : des parasites, toujours le feu au cul.

— Attention, le naturel revient au galop.

— Pas de proverbes et ne t'inquiète pas, le naturel ne revient pas, il est bien attaché à l'écurie.

— Pour moi, on signe toujours ce qu'on fait, qu'on le veuille ou non.

— Moi, je garde l'incognito. Tu n'as rien contre moi.

— Mais tu commences à être nerveux. Ton naturel est en train de ruer dans l'écurie.

— Pas du tout, peu s'en faut. Je suis très calme et mon accent n'a pas bronché. Mon déguisement est sans faille.

— Je sais quand même que tu es un étudiant désœuvré qui joue des tours au téléphone.

— Et toi, qu'est-ce que tu faisais quand je t'ai téléphoné ?

— Je ne sens pas le besoin de me confesser.

— Tu peux mentir, c'est dans le jeu.

— On fait les mensonges qu'on peut et c'est déjà une signature. Toi, tu me dis que tu es l'homme au rasoir, un psychanalyste saurait dans quelle catégorie te ranger et on peut procéder par élimination, comme ça, petit à petit. Tu ris et ton rire est plus près de l'écurie que le reste.

— Je ne ris pas.

— Que peux-tu être ? Si tu avais été étudiant, tu aurais nié ?

— Peut-être pas.

— Que peux-tu être? Désœuvré en plein cœur d'après-midi. Et en même temps pas capable de faire ce que tu veux. Pas moyen d'aller te baigner, pas moyen d'aller au cinéma, pas moyen d'aller jouer de la guitare. Tu es quelque part...

— Je ne ris pas, j'écoute.

— Tu es désœuvré mais tu as quelque chose à faire, et tu le fais tout en restant désœuvré.

— Je ne ris pas, peu s'en faut. Ne va pas penser que je trouve ça drôle.

— On dirait que je brûle. Ta voix a bougé, comme si tu avais eu des hennissements dans les naseaux.

— Ne t'en fais pas accroire. Je connais trop mon personnage pour me faire avoir. Mais je dois dire que j'apprécie ta coopération : tu es l'anonyme presque idéal. Si tu étais demeuré silencieux, ça aurait été parfait. La plupart des gens me ferment la ligne au nez ou bien ils essaient de faire retracer l'appel : ils me retiennent et envoient quelqu'un téléphoner au Bell.

— Qu'est-ce qui se passe dans ces cas-là ?

— Je le sens, je connais mon numéro avec toutes ses variantes : je m'esquive à temps, c'est tout.

— Je pourrais avoir écrit un message à ma femme à côté de moi et tu ne l'aurais pas su. Le Bell est peut-être en train de faire des recherches.

— Penses-tu ! Ils ne sont pas si naïfs au Bell, peu s'en faut. Ils en ont vu d'autres.

— Ça se fait, retracer des joueurs de tours.

— Je perdrais ma job, c'est tout.

— Tu as une job et tu as tout ton temps pour jouer des tours? Sais-tu que j'élimine une grande quantité de métiers ?

— Tu es le seul à être allé si loin. Donne-moi donc ton numéro de téléphone, je vais te rappeler une autre fois. Vite, donne-moi ton numéro. Vite.

Mais moi, je n'ai pas donné mon numéro. Le téléphone sonnait là où il était, c'était un autre téléphone ou bien encore une autre sonnerie. Il s'est trouvé pressé, il a raccroché. J'ai raccroché, moi aussi, et mon angoisse, cet ennui impatient qui me tient lieu d'angoisse, était comme placée.

Moi aussi, en un sens, je suis désœuvré. Beaucoup à faire et désœuvré, moi aussi. Toujours de service, jamais de répit. Je travaille tout le temps: toujours en vacances. C'est ça qui est difficile à supporter.

Anne-Marie avait été très belle: ça se voyait et elle continuait de vivre et d'onduler sous la poussée de lointains hommages. Jean-Claude se l'était dit tout au long.

— Qu'est-ce que tu penses de mon bonhomme au téléphone?

— Rien. Mais on ne sait jamais.

— Je voudrais avoir un vrai métier: plombier ou menuisier. Un vrai métier. Agent aux impondérables, on ne peut pas appeler ça un métier.

— Et pourtant, si on ne t'avait pas, on donnerait souvent sa langue au chat.

— C'est une drôle d'expression. Avouer son ignorance, son incompétence, son impuissance: donner sa langue au chat. Ensuite on ne dira plus jamais rien. Si tu ne sais pas répondre à la question, tu auras la langue mangée. Si tu ne sais pas entendre l'aveu, tu auras les oreilles mangées. Si tu ne sais pas voir les indices, tu auras les yeux jetés au chat.

— C'est vrai qu'on ne trouve rien dans l'affaire des incendies. Gouin-Girouard est très nerveux.

— Pourquoi a-t-il deux noms?

— Le nom de famille de sa mère se serait éteint avec elle.

— Je n'y vois pas d'inconvénient.

— L'enquête n'a rien donné, tant s'en faut. On dirait qu'on en sait de moins en moins.

— Tant s'en faut?

— C'est effrayant d'écouter comme tu écoutes. On a vraiment l'impression d'en savoir moins qu'au début de l'enquête. On s'était dit: c'est un incendie criminel. On dirait que les preuves ont brûlé.

— C'est commode le feu.

— Surtout des incendies de cette envergure. Tous les pompiers de la ville sont sur les lieux.

— Et ça fait déjà plusieurs feux.

— L'équipe de Gouin-Girouard ne trouve rien. Il reste les impondérables.

— J'étais né pour autre chose.

— Sans doute. Moi aussi, j'étais née pour autre chose.

— Dis-moi ce que tu aurais voulu être.

— Je ne le sais plus. Il m'a semblé à quatorze ans qu'il n'y avait rien au monde que je ne serais capable de faire si je le décidais. Je me sentais capable d'apprendre toutes les langues, toutes les sciences. Il me semblait que j'aurais appris à jouer de tous les instruments de musique. On avance et c'est comme pour l'enquête: on a l'impression qu'on en sait de moins en moins. Ce qu'on se met à savoir, c'est qu'il y a beaucoup de choses qu'on ne pourra jamais faire.

— Tu as bien un regret précis.

— Ça m'arrive d'avoir un regret précis.

— Tu ne veux pas en parler?

— Ça se dit mal. Parlons des incendies. Il faudrait que tu nous rapportes des impondérables. Tu n'as vraiment rien vu, rien entendu qui pourrait avoir quelque rapport avec les incendies de l'avenue du Pacifique?

— Puisqu'il s'agit d'impondérables !

— Comment fais-tu? Tu ne te sers pas de tes sens?

— Je pourrais te dire que je me sers de mon sixième sens, tu m'as bien tendu la perche.

— Comment fais-tu?

— Je ne fais rien. C'est un verbe qui me concerne très peu. C'est fatigant pourtant. Un menuisier a des heures où il travaille, des heures où il ne travaille pas; moi je n'ai rien à voir avec le verbe travailler. Je ne fais rien, je ne travaille pas et pourtant c'est difficile; *c'est d'attention,* comme dirait ma mère.

— Il faut quand même que tu te déplaces, que tu fréquentes les bars, les restaurants, les places publiques.

— J'ai l'air d'un touriste, si tu me voyais.

— Je te vois: un touriste blasé qui en a assez de vivre dans sa valise.

— Je suis un touriste dans ma vie aussi. On pourrait parler de vie-promenade, comme on dit concert-promenade. Quand on a un vrai métier on peut s'installer dans l'existence, on peut s'y ancrer. Il me semble qu'on peut enfin comprendre quelque chose. Moi, je me promène et furtivement encore, comme si je ne pouvais pas me permettre d'appuyer, de peser.

— Tu es indispensable pourtant, je te le dis. Pour l'affaire des stupéfiants, si tu n'avais pas été là, on n'aurait rien su. Pour l'affaire de la fausse monnaie non plus. Tu es indispensable, tu peux te le répéter. Moi, je ne suis pas indispensable.

— Si tu n'étais pas là, je m'en irais.

— Tu dis ça: une autre ferait tout aussi bien l'affaire.

— Non. On dirait que tu sais tenir compte des impondérables. Tu me comprends à demi-mot. Moins que ça. Ce que je te rapporte, c'est souvent seulement une intonation ou une consonne trop accentuée. Les autres te rapportent des preuves plus convaincantes.

— D'habitude oui, mais pas toujours. Il arrive que les preuves qu'ils me rapportent n'aient de preuves que le nom. Et alors on se met à tourner en rond en s'appuyant sur ces preuves qui n'en sont pas, sur ces mensonges incarnés. Trouves-tu que ça veut dire quelque chose: mensonges incarnés?

— Un criminel peut mentir en paroles ou en actes. Il me semble que, s'il laisse délibérément de faux indices, on peut parler de mensonges palpables. Moi, j'ai affaire aux mensonges impalpables: à peine paroles. Paroles défaites, effilochées.

— Te sers-tu de ton nez?

— On a beau dire, c'est d'attention pour tous les sens. J'ai une sorte de machine qui se met en marche.

— Le sixième sens!

— Je dirais que c'est autre chose.

— Une autre intelligence?

— Tu sais, les compteurs Geiger.

— Je sais.

— Ça se met en marche, ça crépite quand j'effleure un impondérable en relation avec le cas.

— C'est un raisonnement qui se ferait très rapidement?

— Je serais en peine pour faire le raisonnement.

— Une sorte d'intuition?

— On peut dire ça. Mais c'est souvent une intuition en blanc. Comme on dit un chèque en blanc. L'intuition d'un impondérable.

— Ton bonhomme au téléphone: as-tu vraiment eu l'impression qu'il avait quelque chose à voir avec les incendies criminels? Il t'aurait téléphoné, comme ça? À toi? Ce serait incroyable.

— Ou bien c'est un hasard ou bien il est fatigué de jouer tout seul.

— Ce serait un jeu: mettre le feu? L'incendiaire doit bien y prendre son profit.

— Comme un joueur qui joue bien. Mais il se sent seul. Je sais que l'incendiaire se sent seul: c'est fatal. Il s'en tire toujours. Personne pour le soupçonner. Personne pour comprendre tout l'art qu'il y met. Personne pour apprécier ses chefs-d'œuvre. Il m'a demandé mon numéro de téléphone. Il m'aurait rappelé peut-être.

— Il va finir par se livrer à la police.

— Pas comme ça: pas si vite. Mais ça ne m'étonnerait pas qu'il cherche encore à se faire entendre. Si c'est lui, l'incendiaire, il a le rôle principal et pourtant, ce n'est certainement pas lui qui fait fortune, c'est quelqu'un d'autre. Il doit se sentir lésé, volé. On ne le félicite même pas. On doit le payer de haut comme si on ne voulait pas avoir vraiment affaire à lui. C'est un orgueilleux. Peut-être qu'il aime le travail bien fait, peut-être qu'il se sent de l'envergure, du génie. Qu'est-ce qu'on sait de cette sorte d'incendiaire? Il sent en lui une force fulgurante et ne doit pas comprendre que les gens ne se retournent pas dans la rue quand il passe, il ne doit pas comprendre que les gens à qui il parle ne soient pas émus, pour le moins troublés par cette force qui transparaît, qui doit bien transparaître de quelque façon. Il ne veut pas croire qu'il puisse passer inaperçu.

— Il va se mettre à jouer avec le feu, avec une autre sorte de feu, c'est ce que tu veux dire?

— Je suis content que tu sois là. Tu es la seule à comprendre vraiment ce que je dis.

— Gouin-Girouard comprend lui aussi.

— Il est trop occupé.

— En un sens, Gouin-Girouard, c'est une maison divisée contre elle-même. Il rêve du crime parfait. On dirait qu'il espère ne rien trouver. Ou plutôt, on dirait qu'il voudrait trouver comment le crime a été commis et ne pas pouvoir prouver quoi que ce soit. Comprends-tu ça? Il voudrait être le seul à concevoir toute la beauté d'une structure de crime: ne pas pouvoir la montrer à d'autres. Les autres ne seraient pas assez perspicaces pour l'estimer à sa juste valeur.

— Tu connais Martin Martin?

— C'est un ami de Gouin-Girouard. Une sorte de philanthrope.

— Ça existe encore, des philanthropes? Il s'occupe de la Croix-Rouge?

— Il s'occupe de tout, même d'éducation populaire. Ton compteur crépite?

— Je suis trop impatient pour le savoir. Gouin-Girouard me fait dire qu'il veut me voir et il m'oublie complètement.

— Il a pourtant beaucoup de considération pour toi.

— Il me la donne de haut: ça change de nom la considération donnée de cette hauteur-là. Moi aussi, je me sens seul. J'ai pourtant réussi des coups extraordinaires récemment. Il se donne tout le mérite, je suppose. Ou bien il m'en veut d'avoir trouvé l'imperfection du crime parfait?

— Il est très occupé. Lis le journal, il vient d'arriver. Le courrier, c'est amusant.

— Rarement amusant.

— Lis quand même le courrier: on ne sait jamais. Si ton bonhomme souffre de solitude, il va peut-être se confesser dans le journal.

— Écoute ça. «Monsieur le rédacteur en chef, je ne comprendrai jamais que votre journal publie des insanités comme celles que je lis aujourd'hui. Ainsi, Monsieur Miloiseau refuse toute culpabilité aux criminels! Ainsi, Monsieur Miloiseau leur enlève la liberté et la responsabilité! Ainsi, Monsieur Miloiseau ne veut accuser que l'atavisme et le milieu! Pour lui, le crime n'est rien et on ne doit pas punir les criminels, peu s'en faut! Ainsi, selon Monsieur Miloiseau...»

— Il veut dire: tant s'en faut, au contraire. Penses-tu que ça peut être lui?

— «...il faudrait le traiter comme un enfant sous-alimenté, il faudrait le traiter comme un anémique pernicieux. Selon lui, une bonne alimentation riche en protéines guérirait tous les criminels-malades. Les criminels sont des héros dans ce monde perverti...» Il continue. C'est un drôle de style. Contourné, déhanché.

— Ça crépite?

— C'est lui, c'est bien lui. Le *peu s'en faut* ne trompe pas.

— Veux-tu que j'envoie quelqu'un au journal? Tu pourrais voir son écriture.

— Le caractère de sa machine à écrire.

— Son papier à lettres.

— Il tape à deux doigts sur une machine encore à l'essai. Son papier est le plus courant qui soit.

— Pas intéressé?

— Oui, quand même. Il a peut-être une façon spéciale de coller le timbre.

— Ça crépite encore?

— Encore une. Écoute ça: «Un défenseur des vraies valeurs vous écrit.»

— Quelles valeurs?

— La justice. Il parle d'un jugement rendu il y a plusieurs années.

— Comment peux-tu être sûr que c'est le même qui a écrit les deux lettres?

— Je ne suis pas sûr. Il dit: «Je ne voudrais pas faire de vains commentaires sur cette affaire jugée il y a longtemps, mais il me revient en mémoire qu'une cause n'est jamais fermée si elle est fermée sur l'injustice; ce serait tout à fait concevable.»

— Il est drôle. On dirait que sa logique glisse à un moment donné.

— Moi, je sens la forme sous la masse des mots. Sais-tu que les vagues de la mer ne sont que des moules: l'eau passe, s'informe et s'en va. La forme de la vague reste là comme un pli qu'aurait l'esprit. Tous les mots qui passent par ce pli de l'esprit sont informés, pliés. Je reconnais le pli, la déformation: le pli spécifique.

— On ne peut vraiment pas parler, on ne peut vraiment pas écrire sans signer, sans se dénoncer?

— Les gens sont distraits et pressés. Ils ne portent pas attention, ils ne sont pas tellement intéressés à notre signature.

Anne-Marie répondait au téléphone d'une voix douce, à peine appuyée: l'assistante idéale pour un homme comme Gouin-Girouard. Jean-Claude le pensait en la voyant écouter ce que le commissaire continuait de lui dire à l'oreille. Elle avait raccroché sans bruit.

— Il t'attend dans son bureau. Vas-tu lui parler de ton bonhomme?

— Je n'ai rien à lui dire. C'est lui qui veut me voir.

Jean-Claude n'aimait pas beaucoup Gouin-Girouard: efficace, nerveux, don Juan dans l'âme. Son équipe, sans doute l'une des meilleures d'Amérique du Nord, servait surtout à le rassurer sur lui-même. Jean-Claude n'arrivait pas à l'admirer: il avait pourtant une bonne équipe. Gouin-Girouard fumait cigarette sur cigarette et prenait des poses. Celui qui jette sa cigarette dans l'herbe sèche commet un crime parfait: un feu de forêt qui se propagera pendant des jours. La nouvelle du crime parfait propagée sur des milles.

— Mon équipe n'a rien trouvé: incompréhensible! Sais-tu le plus insupportable? Quand l'alarme est donnée, on ne voit rien encore. Les voisins nous ont juré ça: rien n'est visible avant l'arrivée des pompiers.

— Pourquoi les pompiers arrosent-ils?

— Le feu devient visible quand les pompiers arrosent, c'est comme ça.

— Alors les pompiers se mettent à la tâche au tout début de l'incendie?

— Oui et non. Oui, dans le sens que rien n'est visible avant que les pompiers arrosent; non, dans le sens que tout est en feu, le temps de le dire, tout est détruit en un rien de temps.

— Et il n'y a jamais de morts, jamais de blessés. Qui sonne l'alarme? Qui avertit les locataires?

— Tout le monde et personne. Entre nous, disons les choses comme elles sont, je dirais certainement autre chose aux journalistes, mais entre nous, c'est comme ça: les gens se le sont dit les uns aux autres. Ces maisons de rapport changent souvent de locataires, tu le sais et ce sont des locataires qui ont toutes sortes d'accents, toutes sortes d'intonations, toutes sortes de langues pour tout dire.

— Qui avoue avoir sonné l'alarme?

— Plusieurs d'entre eux. Ils prétendent avoir reçu la nouvelle au téléphone. Ils sont allés sonner l'alarme ou bien ils ont téléphoné au poste. Vois-tu ce qui s'est passé? Veux-tu les noms des locataires, veux-tu parler avec eux?

— Ils me répéteraient ce qu'ils t'ont dit: ils disent la vérité.

— Tous? Tu ne crois pas que l'un d'entre eux a pu mettre le feu? Téléphoner d'abord en se faisant passer pour quelqu'un d'autre et mettre le feu ensuite?

— Je ne sais pas.

— Pour le moment, c'est un circuit fermé. On dirait que le feu a pris tout seul de partout en même temps.

— Ça se fait, arroser par acquit de conscience? Tout le monde crie au feu, tu arroses pour être bien sûr qu'il n'y a pas de feu?

— C'est possible. Ça doit quand même prendre une lueur. Ou bien une fumée quelconque.

— Il suffirait qu'une personne voie une lueur et on arrose?

— On arrose.

— Il faudrait savoir qui a crié qu'il voyait une lueur.

Gouin-Girouard se voulait moins méprisant depuis l'affaire des stupéfiants et l'affaire de la **fausse monnaie**. Il se retenait de hausser les épaules **maintenant quand** Jean-Claude disait des choses insensées: **il faudrait** savoir qui a crié qu'il voyait une lueur!

— Je suppose qu'à la quantité de badauds **qui ont** entouré les voitures de pompiers, ce serait **difficile à** retracer.

— Surtout que la personne n'a pas eu besoin de crier qu'elle voyait une lueur. Il a suffi que quelqu'un fasse semblant de l'entendre crier.

— Sans doute. Évidemment.

— Le crime parfait, c'est comme le mouvement perpétuel. À peu de chose près.

— Il y en a pourtant qu'on ne s'explique vraiment pas.

— Ça ne veut pas dire qu'ils ne sont pas explicables. Personne n'a trouvé le moyen de les expliquer, c'est tout. Comme les choses impossibles: personne n'a trouvé le moyen de les faire.

— Qu'est-ce que tu comptes faire?

— Rien.

Gouin-Girouard fumait beaucoup et ses airs exaspérés étaient de plus en plus appuyés. Le don Juan exaspéré. Le grand raffiné perdu dans la police. Jean-Claude se répétait qu'il ne l'aimait pas beaucoup.

— Les compagnies d'assurances nous en veulent de ne rien trouver.

— Les compagnies d'assurances font leur propre enquête?

— Je les défie de ne rien trouver.

— Dis-tu bien ce que tu veux dire?

— Ils ne trouveront rien là où mon équipe n'a rien trouvé.

— Ça t'ennuyerait que les compagnies d'assurances trouvent des indices !

— Je les aurais trouvés moi-même, s'il y avait eu des indices. Mais toi, tu dois bien avoir une idée ?

— Les compagnies d'assurances ont peut-être un agent aux impondérables de leur côté.

— Qu'est-ce que tu comptes faire ?

— Rien. Je ne suis pas organisé pour agir. Pas équipé.

— J'aurais pourtant voulu savoir ce que tu avais l'intention de faire. Enfin, où tu dirigerais tes soupçons.

— J'en suis encore à essayer de m'imaginer dans la peau de l'incendiaire.

— Dis-moi comment tu procèdes. C'est fou ce que je vais te raconter mais j'ai l'impression que tu pourrais inventer une affaire comme celle-là, je veux dire la mettre sur pied. Tu sais, une affaire où on n'a pas de prise. Une affaire qui ne donne pas prise. Te sens-tu comme un médium pourrait se sentir ?

— Il me semble bien que non.

— Pourquoi pas ?

— Un médium est passif, c'est sa force il paraît ; moi, non.

— Et pourtant tu dis que tu n'es pas organisé pour agir.

— Et pourtant je ne suis pas organisé pour agir, c'est vrai. Je fonctionne d'une certaine façon quand même sans être organisé pour l'action.

— Une sorte d'action invisible, désorganisée ?

— As-tu entendu parler de cette invention fabuleuse ? Un anti-feu qui éteindrait le feu comme ça en ne faisant aucun dégât : une sorte d'aspiration et le feu disparaîtrait. L'anti-photon qui rencontre le photon. Il y a annihilation. Au fond, ce que j'en dis, c'est pour répondre quelque chose à ta question.

— En attendant, l'incendiaire se promène et quelqu'un va toucher l'assurance.

Il avait comme avalé la dernière partie de la phrase.

— Quelque chose d'intéressant de ce côté-là ?

— Disons qu'il y a une coïncidence : sur cinq des maisons de rapport détruites, il y en a cinq qui appartiennent à la même succession.

— Quelle succession ?

— La succession Martin. Au-dessus de tout soupçon comme tu dois bien le penser, toi aussi. C'est le père de Martin Martin : un philanthrope et un mécène.

— Ça se fait encore, des mécènes ?

— Il nous en faut. On n'est pas philanthrope sans se faire d'ennemis. On a pensé que des ennemis de Martin Martin avaient peut-être pu...

— Des amis ! Dans les circonstances, on peut les qualifier d'amis.

2

IL Y A des moments où l'ennui me brûle. C'est toujours au cœur du jour. Le dimanche, c'est pire. Aujourd'hui, j'en suis arrivé à marcher de long en large dans mon appartement. Je me laisse marcher de long en large parce qu'il faut que je marche de long en large. Ma mère m'attend : tous les dimanches elle m'attend. Quand je n'y vais pas, elle ne dit rien mais elle n'en pense pas moins. Je lui en veux d'avoir mis tous ses espoirs en moi : ça ne se fait pas. Ses espoirs en moi comme des parasites que rien ne contentait jamais. Ses espoirs démesurés. J'étais son champion, j'allais porter ses couleurs dans le monde. Affublé, je me suis toujours senti affublé de ses couleurs.

— Tu es venu, je le savais. Quand j'ai mon mal de tête lancinant, c'est que tu vas venir.

— Je ne viendrai plus.

— Il faut que tu viennes. Tu es tout ce qui me reste au monde.

— On dirait que tu parles d'une épave.

— Disons que je te verrais plutôt avocat. Je ne sais pas quoi dire quand on me demande ce que tu fais.

— Je suis détective : ça touche de près la justice.

— Huissier aussi, ça touche de près la justice. Il n'y a pas de sot métier. Qu'est-ce que tu fais au juste? Au juste là, qu'est-ce que tu fais? C'est secret ou quoi? Chaque fois que je te le demande, on dirait que tu n'arrives pas à me répondre.

— Je fais des enquêtes.

Elle préparait le souper: elle comptait les calories pour deux. Elle suivait une diète, son fils suivait donc une diète lui aussi.

— J'aurais voulu que tu sois avocat. C'est triste à dire, mais je ne suis pas satisfaite de toi.

— Tu n'as pas à être satisfaite de moi.

— Je suis déçue: tu promettais tellement.

— Tu n'as pas à être déçue.

— On fait des rêves. On met ses espoirs en quelqu'un.

— Tu as eu tort: on met ses espoirs en soi, sa confiance en soi, en personne d'autre. Pourquoi veux-tu que je réalise tes rêves? Réalise-les toi-même.

— Les rêves que j'avais, je ne pouvais pas les réaliser moi-même.

— Tu as misé sur moi comme sur un cheval.

— J'ai l'impression d'avoir manqué ma vie quand je te vois détective. Au moins si tu étais commissaire ou quelque chose d'autre. Au moins si tu avais un titre pour compenser.

— Je suis agent aux impondérables. C'est beau comme titre.

— Veux-tu du fromage *cottage* avec ta salade de fruits?

— Oui, un peu. Parle-moi de toi.

— Je suis une personne seule, tu le sais.

— J'ai reçu l'appel d'un homme seul cette semaine.

— De la façon dont tu le dis, on dirait qu'il t'a appelé à son secours.

— Il me disait qu'il était l'homme au rasoir.

— Il mentait sûrement. Pourquoi te téléphoner? Il savait que tu étais détective?

— Non. Du moins c'est ce qu'il m'a dit: il m'appelait comme ça, au hasard du cadran. Il jouait des tours au téléphone. Il faut être seul pour faire ça. Seul et désœuvré.

— Veux-tu du thé?

— Oui, merci. Qu'est-ce que je peux faire pour toi?

— Rien. Tu aurais pu être avocat si tu t'en étais donné la peine, si tu avais fait des efforts.

— Qu'est-ce que ça te donnerait de plus?

— Je pourrais être fière de toi. Comment veux-tu que je sois fière de toi? Agent aux impondérables! Je dirais ça aux gens qu'ils se demanderaient si je suis folle. J'aimerais autant dire que tu es boueur. Je m'étais promis que tu serais avocat.

— Sais-tu pourquoi je viens te voir le dimanche?

— Quand tu viens!

— Je viens souvent: une fois sur trois.

— Tu viens parce que tu considères que c'est ton devoir de venir?

— Je viens parce que tu me tortures. Je viens me faire torturer.

— Je fais mon possible pourtant. Qu'est-ce que tu veux de moi?

— Rien. C'est assez comme ça. C'est bien comme ça. Je n'ai pas à être content de toi. Moi non plus, je n'ai pas à être déçu de toi. Sais-tu les deux choses les plus odieuses au monde ?

— Être déçu de celui en qui on avait mis toutes ses complaisances et savoir que c'est définitif.

— Être déçu de quelqu'un et lui en faire le reproche. Penser qu'on a le droit d'être déçu de quelqu'un, c'est odieux. C'est s'arroger un droit sur sa vie, sur sa respiration. Pour qui te prends-tu ? Tu n'as pas le droit d'être déçue, tu n'as pas le droit. Et tu me le dis en pleine face.

— Tu viens pourtant. Tu viens quand même. Tu te déçois toi-même, c'est ça la vérité. Je suis comme ta conscience. Tu ne me raconteras pas que tu ne voudrais pas être autre chose: un grand avocat comme ton cousin André. Dis la vérité.

— Ce n'est pas ça qui compte. C'est autre chose.

— Vas-tu me dire que tu es en train de gagner une course contre les impondérables.

— Ça m'a toujours agacé les expressions comme: la course contre la montre, contre le temps, contre la mort.

— Ton cousin André réussit et sa mère est heureuse: elle est fière de lui.

— C'est odieux.

— Quoi ? Qu'est-ce qui est odieux ? La fierté maternelle ?

— Elle n'a pas le droit d'être fière.

— Elle a le droit: elle l'a réussi, son fils, c'est son œuvre. Elle est fière d'elle autant que de lui. Elle a le droit. C'est un homme qui a une brillante conversation en plus.

— La séance de torture a assez duré. Embrasse ton champion.

— Tu ne veux pas un verre d'eau de Vichy avant de partir? C'est bon pour la santé.

— Non merci.

— André a de beaux enfants, si tu les voyais. Une femme instruite aussi. Et très belle.

— La séance de torture est finie. Tu ne m'as pas embrassé.

On aurait dit qu'elle hésitait, elle faisait celle qui n'a pas entendu. Elle ouvrit la porte, prit le temps de parler de la pleine lune et du temps qu'il ferait le lendemain.

En arrivant à son appartement, il avait tellement besoin de musique qu'il serait mort s'il n'avait pas pu en écouter. L'assouvissement lui venait par vagues brûlantes. Il sentait bien qu'il était en train de prendre un coup de musique comme on prend un coup de soleil. Au milieu de la nuit une sorte d'écœurement, une sorte d'épuisement heureux, une insolation bienheureuse.

Ma mère avait des vues sur moi. Des desseins que je n'ai pas accomplis: peu s'en faut, comme dirait mon bonhomme. C'est curieux, cette torsion de l'esprit qu'il a. Un homme vrillé. À la radio, c'est un drôle de texte qu'on lit aussi, un drôle de texte.

«...le charme des robes que portèrent les siècles passés, les décennies passées. Au temps des Beatles, qui ne déteste pas revêtir de vieux costumes.»

— Il dit le contraire de ce qu'il veut dire. Il a dû écrire d'abord: au temps des Beatles on ne déteste pas revêtir de vieux costumes. Il a changé la tournure de sa phrase et ça donne cette contorsion.

«Vous avez entendu *L'oreille du Peuple,* le récit d'un jeune auteur qui signe André Jacques.»

Un pseudonyme. On signe sans signer avec un pseudonyme: ça laisse toute latitude, toute liberté de parole. On dit n'importe quoi impunément. On assassine quelqu'un revêtu d'un pseudonyme et ni vu ni connu. On tue par pseudonyme interposé: c'est commode. Les mains nettes et le travail fait. Le pseudonyme sali: portez jetez. On en a toute une collection: un nombre indéterminé. On prend deux prénoms quelconques: on s'arrange.

Enfin le cœur de la nuit et une sorte d'éveil de l'esprit. Les yeux ouverts sur l'obscurité, enfin la paix, enfin la joie. Je dis toujours le mot joie au cœur de la nuit et le fait de prononcer le mot amène la joie ou la grandit. La joie, cette passion par laquelle l'esprit passe à une perfection plus grande, cette passion par laquelle...

Je me promène dans une sorte de désert: le sable d'un gris blanc plus doux aux pieds que de la poussière mais à tout moment je me heurte les pieds à d'immenses pierres colorées, aussi brillantes que des pierres précieuses. Je suis seul ici. Une histoire de côte me revient comme une chanson que j'entendrais fredonner, une histoire de côte. La seule façon de ne plus être seul: on va me prendre une côte durant mon sommeil. Une côte pour parer à ma solitude. Et je vois ma côte près de moi: une joie qui me brûle et mon coup de soleil s'étend. Ma côte brûlante elle aussi: comme du feu. La côte se met à se tordre, à se déformer. Mes doigts marquent les pages: c'est un livre et j'essaie de lire au gros soleil. Je prononce le mot: gros soleil et le mot rougit, me brûle la bouche. J'essaie de lire mais les lettres sont comme des nuages à l'horizon. Une histoire de chaux vive que j'entendrais raconter d'un ton chantant. On les enterrait dans la chaux jusqu'au cou et on attendait. Ils se retenaient d'uriner tant qu'ils pouvaient mais le temps passait et l'un après l'autre ils se mettaient à crier: ils se mettaient à brûler. L'histoire de brûlures au ventre, à l'estomac, comme un crépitement autour de la tête, comme une piqûre aux yeux.

Six heures. Et j'ai le soleil dans le visage: j'avais oublié de tirer le rideau.

Si seulement j'avais un métier. On ne peut pas qualifier cela de métier, ce que je fais. Ce que je fais! Et je ne suis même pas organisé pour l'action. Je procède par tâtonnements. J'ai étudié avec soin ce que l'équipe de Gouin-Girouard a trouvé. Les locataires des maisons de rapport parlent beaucoup et leurs témoignages concordent mais Gouin-Girouard a raison: on dirait un système fermé sur lui-même. Ils se renvoient la balle les uns aux autres, comme s'il s'agissait d'une balle brûlante. Et ils sont pauvres, tous, c'est une chose qui frappe: ils dépendent tous plus ou moins de la Sécurité sociale et la maison qu'ils habitaient n'était plus habitable. Presque plus habitable. Les maisons ne valaient rien, presque rien, mais les terrains valent une fortune. Les locataires se lamentent: ils sont sans abri et l'assurance leur offre une somme dérisoire pour la perte de leurs possessions dérisoires. Cherchez le profiteur, celui qui en profite: les propriétaires. Le propriétaire impliqué c'est Martin, la succession Martin; et Martin Martin est le seul héritier de la succession Martin. Peut-on accuser Martin Martin? Il donne des milliers de dollars à toutes sortes d'œuvres de bienfaisance: il se contredirait. J'ai réussi à obtenir un rendez-vous avec lui: c'est un homme occupé et il ne doit pas aimer l'idée d'une visite de l'agent aux impondérables. Il l'a dit à Gouin-Girouard que ça lui déplaisait.

— Qu'est-ce qu'il veut savoir au juste, ton agent aux impondérables? Qu'est-ce qu'il veut venir faire ici? Sentir?

C'est l'humanité qu'il fait profession d'aimer, pas moi. Et c'est vrai que je m'en vais sentir, de toutes les forces de mon esprit. Mon esprit transformé en machine à compter les crépitements des êtres et des choses. Des êtres et des choses! Mon rêve me revient: on m'avait pris une côte durant mon sommeil pour parer à ma solitude. Et ma côte dans mes bras se transformait en livre.

Allons-y. Il serait capable de prendre mon retard comme prétexte pour ne pas me recevoir.

Il fait trop beau aujourd'hui: cette chaleur sourde après la pluie. Le terrain vague a des odeurs d'infusion de fleurs des champs et je m'en vais flairer chez un philanthrope. Pas la moindre petite question à lui poser. J'espère qu'il va parler, dire quelque chose à propos de lui-même. Il va me demander ce que je désire savoir, c'est difficile de répondre que je ne le sais pas exactement. Qu'est-ce que je désire savoir?

Je me demande pourquoi je n'ai pas étudié le droit, aujourd'hui alors qu'il fait si beau, je me le demande sérieusement. Je n'avais qu'à apprendre tout ça par cœur et à me fier ensuite à mon intelligence. Et ma mère aurait été fière de moi. On dirait que j'ai le frisson. On dit: des frissons d'orgueil. La chose devrait me répugner: ma mère aurait été fière de moi. J'ai voulu lui prouver qu'elle n'avait pas à être contente ou mécontente de moi: c'est peut-être ça qu'on appelle la mauvaise foi. Ou bien c'est une conduite d'échec, comme disent les psychanalystes. Je n'ai pas fait mon droit pour lui ressembler, pour venir la rejoindre là où elle était: elle ne l'avait pas fait, elle non plus, elle n'avait pas pu le faire. Elle a voulu faire de moi son champion, j'ai voulu être son compagnon de désillusion. Je me demande si elle s'en doute. Tous les dimanches, on répète la même pièce, à peu de chose près. Elle me fait la scène de la mère déçue et moi celle du fils hargneux. Elle sait peut-être que si je n'ai pas voulu briller, c'est qu'elle était plus terne que toute l'impuissance du monde. Je lui ai refusé le droit d'être contente d'elle indûment. On répète la même pièce à peu de chose près, mais depuis le temps que ça dure, le peu de chose finit par ressortir. On va finir par se sentir bien ensemble: dans la pénombre de ceux qui s'éteignent, dans l'ombre bientôt des êtres mats, dépolis.

Ce qu'elle avait trouvé pour m'empêcher de me marier! Je me suis longtemps demandé si elle s'en était bien rendu compte. Elle avait l'air sincère. Elle était sincère: amoureuse de Valérie, elle aussi. Plus que moi: c'était d'un amour prenant, fulgurant, total, qu'il s'agissait. Un amour pur sans doute. Sans doute. Mais elle était allée s'acheter des vêtements neufs: rouges, tous rouges. Et ses yeux brillaient: pas du feu, de la vapeur. Des sources d'eau bouillante dans tout ce rouge. Elle m'avait rejoint, et c'était peut-être son idée. Elle avait trouvé ça comme on trouve finalement ce qu'on cherche et pas autre chose. Valérie, dans cette mascarade de sentiments vrais déguisés? Je l'aimais, ma mère l'aimait, elle aussi. Nous nous sommes vus tous les deux, ma mère et moi, nous avons dû nous voir: elle, en rouge jusqu'aux pieds, jusqu'à la tête; moi, en pantalon de suède collant, beige presque doré, plus doré que de raison. On peut dire que deux affirmations équivalent à une négation, dans un cas comme le nôtre. Valérie a compris ce qu'elle n'aurait pas dû comprendre. Il aurait fallu qu'elle se batte pour moi. Chez les animaux, deux mâles se battent pour une femelle: un besoin de se battre les prend, plus fort peut-être que le besoin de s'accoupler. Il aurait fallu qu'elle se batte. Seule de son côté: contre qui aurait-elle dû se battre? Tout ce qu'on peut se raconter pour masquer la vérité. Quand je commence à m'aviser de ce que les autres auraient dû faire, c'est que je glisse: je me sens glisser comme mon bonhomme au téléphone, ma logique devient glissante. C'est moi qui aurais dû me battre. J'ai senti le besoin de tuer plus encore que de faire l'amour: je me suis retenu. Il faut se battre: les raisons n'ont pas besoin d'être bonnes. Il suffit que ce soit quelqu'un qui nous ressemble trop. Chez les humains le point de ressemblance n'est pas toujours le sexe: le goût de se battre prend souvent les allures de la perversion.

Plus de soleil, rien qu'un ciel gris et un vent qui vient de loin. L'été de la déchirure, il faisait ce temps-là, il me semble qu'il faisait souvent ce temps-là. Je demandais à Valérie ce qu'elle pensait de la vie à deux, elle répondait: «Je ne pense jamais à la vie à deux.» Déjà à ce moment-là, tout était gravement compromis.

Martin Martin va me recevoir de haut: c'est un homme important, un homme fort, un homme qui pense beaucoup de bien de lui-même. La philanthropie a de ces sous-produits!

— Vous pouvez vous asseoir. Gouin-Girouard m'a expliqué votre rôle dans son équipe. Disons que sans y croire moi-même, je me fie à Gouin-Girouard. Je vous écoute.

— Ah oui?

— Voulez-vous dire que vous n'avez pas préparé notre conversation?

— Pourquoi votre père avait-il acheté les fameux taudis?

— Pourquoi fameux? Quand il les a achetés, ce n'étaient pas des taudis.

— Il les a laissés tomber en ruine.

— Les maisons étaient vieilles mais habitables. Les loyers n'étaient pas élevés, ça faisait l'affaire de ces gens-là.

— Financièrement, le feu, c'est une bonne affaire pour vous. Ce sont les terrains qui ont de la valeur. Au fond, vous ne deviez avoir qu'une idée en tête: vous débarrasser des maisons.

Un calme d'un poids écrasant. Les mains surtout révèlent son grand calme: posées à plat sur son bureau.

— J'ai mis le feu moi-même?

— Quelqu'un l'a mis pour vous.

— Sans m'en parler alors.

Une ironie très froide: Jean-Claude avait froid dans le dos. Comme cet été-là quand la mer était froide, le sable froid, le vent froid.

— Votre main droite ignore peut-être ce que fait la gauche.

— J'essaie d'ignorer les dons que je fais.

— Ensuite l'habitude est prise et on se met à ignorer toutes sortes de choses.

— Gouin-Girouard m'avait bien dit que vos méthodes étaient extrêmement hasardeuses. Vous n'avez pas toujours fait ça, tout de même?

— Non. J'ai travaillé à la Sécurité sociale pendant quelques années.

Martin ne disait rien, moi non plus. Il ne savait pas, lui, que j'étais capable de rester longtemps sans rien dire. Il pensait que je me sentirais mal à l'aise.

— Je veux bien vous permettre de faire jouer vos intuitions, mais j'ai l'impression très nette que rien ne va plus. Vous avez autre chose à me demander?

— Au fond, la philanthropie, pour vous, c'est une sorte d'affaire. Je vous vois calculateur. Ce que vous donnez aux œuvres de bienfaisance, vous le misez.

— Êtes-vous sûr de raisonner juste? Vous êtes-vous essayé aux syllogismes? Ne vous en faites pas, je comprends. D'après ce que m'a dit Gouin-Girouard, l'insulte est une réaction courante chez vous, une sorte d'aiguillon dont vous vous servez pour faire parler les gens. Je comprends.

— Les criminels sont portés à parler.

— Ils parlent vraiment?

— Ils ouvrent toujours la bouche pour dire quelque chose. Ça suffit. Les serpents venimeux mettent toujours du venin dans ce qu'ils disent. C'est souvent à l'état de trace: quand ils me disent qu'il fait froid ou qu'il fait chaud, c'est parfois difficile d'isoler la chose.

La bouche de Martin Martin s'était un peu avancée: comme pour une succion ou un silence.

— Vous avez vraiment réussi à trouver quelque chose avec vos méthodes?

— C'est infaillible.

— C'est recevable, en cour? Ça me paraît des vues de l'esprit. Comme preuves, ça ne doit pas valoir cher.

— Ensuite, ils se mettent à tout dire, à tout raconter.

— J'ai peine à croire ça.

— Ils se mettent à bafouiller.

— C'est une preuve, bafouiller? C'est un aveu, bafouiller? Monsieur, j'ai beaucoup à faire. Je pourrai
dire à Gouin que j'ai vraiment fait un effort méritoire.
Il a pourtant l'une des meilleures équipes d'Amérique
du Nord, qu'est-ce qu'il a à voir avec vous? C'est incroyable.

— Je vous ai insulté, vous m'insultez, c'est de
bonne guerre.

— Mais je ne suis pas en guerre avec vous, peu
s'en faut. Je choisis mes ennemis avec un très grand
soin. J'ai collaboré avec vous tant que j'ai pu, maintenant c'est fait, c'est assez.

— Je sais ce que je voulais savoir.

— Qu'est-ce que vous savez?

— Que vous employez certaines expressions à
mauvais escient.

— Quelles expressions?

— Un mot, c'est assez. On sait que c'est bien le
même venin.

Martin Martin n'était pas rassuré. Jean-Claude lui
fit un petit salut.

— Je suis content d'être venu. C'est rare qu'on
écoute parler les gens inutilement. C'est rare qu'il n'y
ait pas au moins une goutte de venin dans ce que disent
les serpents venimeux.

Martin Martin essayait de se rappeler mot à mot ce
qu'il avait dit. Jean-Claude savait bien que l'homme
d'affaires pressé prendrait le temps d'écouter le ruban
attentivement: car leur conversation avait été dûment
enregistrée.

Le soleil avait reparu mais c'était froid encore.
Depuis qu'ils avaient décidé de ne plus se voir, Valérie
et lui, il se sentait les flancs susceptibles, fragiles: une

façon de dire qu'il s'ennuyait d'elle des deux côtés. Il la prenait dans ses bras: on se souvient de toutes sortes de choses. Quand il la prenait au creux du bras gauche, le cœur lui faisait mal ensuite mais c'était plus chaleureux du côté gauche. La position était moins bonne du côté droit. Valérie était plus anguleuse de ce côté-là. Elle était maigre: je me souviens d'avoir palpé tous ses os. Quand il fait froid, je me sens toujours les flancs exposés, dégarnis. Elle a continué son travail à la Sécurité sociale, elle. Moi, je suis sorti de là quand on a décidé de ne plus se voir. Mais longtemps après j'ai continué de la suivre, de l'espionner, de l'aimer. Depuis quelque temps elle voit souvent un grand noir aux cheveux frisés: il marche d'un drôle de pas, ce n'est pourtant pas la jalousie qui me fait voir l'espèce d'accroc à la ligne droite qu'il fait à tout moment. Après plusieurs pas réguliers et bien rythmés, on dirait qu'il dérape: on dirait une tentative de fuite, une volonté physique de tourner le coin, de s'en aller ailleurs, de n'être plus où il est. Il a le don de faire rire Valérie: c'est le plus insupportable. Il est capable de la faire rire. Avec moi, elle ne riait pas. Je n'ai jamais su qui est le grand noir aux cheveux frisés. J'aurais pu le savoir si j'avais voulu: je n'ai jamais voulu. Il travaillait à n'importe quelle heure, ça, c'était remarquable. De temps en temps, ils partaient ensemble du bureau de Valérie: elle l'emmenait en tournée avec elle. Elle n'avait jamais voulu que je l'accompagne, moi, elle tenait jalousement à faire elle-même tout son travail. Et pourtant, moi, je faisais partie de la même boîte qu'elle. Un jour, je les ai vus se tenir la main: j'ai cessé de les espionner. Ça ne m'a pas empêché de savoir ce qui se passait: il était en train de lui redonner le goût de vivre.

Cet été-là, l'été de la rupture, on aurait dit qu'elle ne savait plus quoi faire de son corps. Je le sentais dans les bras, dans les flancs, qu'elle était fébrile, qu'elle avait le goût de ruer. Mon bonhomme au téléphone, il a parlé d'écurie. Ou bien c'est moi qui en ai parlé. Qu'est-ce qu'on disait? Je lui disais que le naturel allait revenir au galop: son personnage était trop artificiel, trop composé. Il disait: «Peu s'en faut», comme Martin Martin. C'est curieux: c'est peut-être une faute qui court les rues, une sorte de grippe. Je me retrouve en face des bureaux de la Sécurité sociale, comme par hasard. Mon naturel à moi, c'est de revenir ici. Je vais lui acheter des fleurs et aller la voir. Comme ça, parce que j'en ai envie. Parce que j'ai les flancs pleins de frissons de plaisir. Des pensées: je vais lui acheter des pensées ou bien des pois de senteur.

— Vous avez des pensées?

— Non, pas de pensées. Des roses, des œillets, des glaïeuls.

— Pas de pois de senteur?

— J'ai des violettes africaines en pots. Des plantes exotiques aussi: un petit cactus comme celui-là, c'est amusant.

— C'est piquant.

Il fait semblant de rire. Elle me disait que j'avais la barbe comme un cactus certains matins. Elle ne riait pas: ça ne la faisait pas rire.

— Je vais prendre les violettes africaines, mais coupez-les.

— Pourquoi?

— Parce qu'il me faut des fleurs coupées.

— Elles vont mourir.

— C'est ça: tuez-les et donnez-les moi dans un sac.

— Cachées?

— Oui.

Ça ne le fait pas rire et il ne fait pas semblant de rire non plus. Il les coupe avec quelque chose dans le poignet qui ressemble à de la haine.

— Vous avez un grand noir aux cheveux frisés, comme client?

— Pourquoi me demandez-vous ça?

— Je suis détective. Vous savez son nom?

— Non, je ne l'ai jamais su. Il paie et il s'en va.

— Qu'est-ce qu'il achète?

— Une rose rouge.

— Toujours une rose rouge?

— Toujours la plus belle qu'il peut trouver.

— Il fait la conversation quand il vient ici?

— Oui, il aime parler et je dois dire qu'il parle plutôt bien.

— Plutôt?

— Il a un petit accent.

— Anglais?

— Non, je ne pense pas que ce soit un accent anglais, mais c'est un accent. C'est probablement un étranger.

— À quoi d'autre reconnaissez-vous ça?

— Il se trompe de genre, de temps en temps. Ou bien il le fait exprès. Je me suis dit parfois qu'il le faisait exprès. Il joue avec les genres, c'est ce que j'ai pensé.

— Vous vous souvenez de ce que ça donnait?

— Un jour, il a dit: «Une fleur c'est mieux qu'une pilule pour la morale.» Il voulait dire: le moral.

— Peut-être. Essayez de vous souvenir d'autre chose.

— Ce n'est pas toujours une erreur de genre. L'autre jour, je lui ai demandé ce qu'il pensait des incendies criminels, il m'a répondu qu'il ne pensait jamais aux incendies criminels. Il le fait probablement exprès. Mais à première vue, on dirait que c'est un étranger. On ne sait pas trop de quel pays il vient, mais on se dit que c'est un étranger. Il y a quelque chose de flottant dans sa conversation.

— Essayez de vous souvenir d'autre chose.

— Je ne peux pas mais il m'est arrivé de me répéter: « Il dit le contraire de ce qu'il veut dire, c'est évident, il dit le contraire de ce qu'il veut dire. »

— Forcez-vous.

— Ça ne me vient pas tel quel mais c'était comme s'il disait: vous me racontez des histoires, ce que vous me dites là est croyable. Voyez-vous ce que je veux dire? Et ça lui est arrivé plusieurs fois.

— Dans toutes sortes de phrases?

— Oui. C'est pour ça que je vous dit qu'il est probablement étranger. On dirait qu'à un moment donné, il emploie un mot pour son contraire. Et avec un grand aplomb. Il n'hésite pas du tout quand il parle. C'est peut-être pour ça que ça m'agace, moi. S'il hésitait, je ferais le réajustement moi-même, tout simplement. Il est sûr de lui, tellement sûr de lui qu'on en reste bouche bée: on dirait qu'on continue de chercher le sens de ses paroles même si on sait très bien qu'il s'est trompé de mot.

— Pensez-vous qu'il se déguise?

— Comment ça, déguise?

43

— Il a une fausse moustache, une perruque ou quelque chose qui vous paraît emprunté dans son allure ?

— Maintenant que vous m'en parlez, il me semble que oui.

— Qu'est-ce qui est emprunté, selon vous ?

— Rien de particulier. On dirait que tout est emprunté.

— Ses mains ? Vous avez remarqué ses mains ?

— Il a toujours des gants de chauffeur, même en été. Il m'a dit qu'il souffrait d'une irritation perpétuelle de la paume. Une sorte d'irritation chronique.

— C'est combien ?

— Combien quoi ?

— Les violettes africaines ?

— Quatre dollars.

— Si vous le revoyez, essayez de retenir ce qu'il va vous dire.

— Vous voulez que je remarque quelque chose en particulier ?

— Non, rien en particulier. Remarquez tout. Peu importe.

— Attendez, je me souviens de quelque chose. Il m'a dit : «Je ne suis pas misogyne, peu s'en faut.» Je me suis demandé ensuite s'il était misogyne ou non.

3

— **V**ALÉRIE BENOIT est à son bureau?

— Vous avez rendez-vous?

— C'est important. Je suis détective.

La réceptionniste s'affairait et Jean-Claude reconnaissait les lieux.

— Vous pouvez monter.

La même odeur dans l'ascenseur. Chou et savon. Quelque chose de vieux qu'on aurait essayé de laver à fond. L'odeur de chou reste et on ne sait plus de quel chou il s'agit.

Le nom de Valérie sur la porte: elle a des promotions. J'ai froid aux flancs comme je pourrais avoir froid aux yeux.

— C'est toi! Qu'est-ce que tu veux exactement?

— Je t'ai apporté des fleurs, des violettes africaines.

— Tu veux vraiment me poser des questions?

— Quelles questions voudrais-tu que je te pose?

Ça ne la fait pas rire. Elle a mis les violettes dans un verre.

— Il est rare de les voir coupées. La couleur est belle. Tu as encore maigri Jean-Claude. Ça te plaît, ce travail de détective?

— Non. Je voudrais avoir un vrai métier: menuisier ou ébéniste, ça me plairait. Et toi?

— Moi, je suis toujours ici, comme tu vois.

— Tu as des promotions.

— Il y a longtemps que je suis ici. Tu n'as vraiment rien à me dire?

— Je voulais te voir, t'entendre parler.

— Et moi, je suis là à me demander de quoi on pourrait bien parler. Ta mère est bien?

— Pas très bien, non.

— Elle a de la chance de t'avoir.

— Penses-tu?

— Fais-tu vraiment partie de l'équipe de Gouin-Girouard? Il paraît que c'est la meilleure équipe d'Amérique du Nord.

— On ne peut pas dire que j'en fais vraiment partie, non. Il fait appel à moi quand son équipe ne trouve rien.

— Ah oui? Tu es sur une affaire?

— On peut dire ça, oui: je suis sur une affaire. Tu travailles toujours au bureau ou tu fais encore de la route?

— Je fais encore de la route.

— Tu t'occupes de quoi exactement?

— Je m'occupe des gens qui reçoivent des prestations. Comme tu dois le deviner.

— Tu sais, les maisons de rapport qui ont brûlé...

— Oui, oui, je sais.

— Les locataires dépendent presque tous de la Sécurité sociale.

— Comme tu dis.

— Penses-tu qu'ils ont pu mettre le feu?

— On ne sait jamais.

— Ça t'ennuie que je te demande ça?

— Disons que j'ai des choses à faire et que tu n'as pas l'air de savoir toi-même où tu veux en venir.

— Des incendies criminels.

— Qui a dit ça? Personne. Si c'est un criminel qui a fait ça, c'est un criminel délicat: il s'est arrangé pour qu'il n'y ait ni mort ni blessé.

— C'est vrai, il s'est arrangé. En un sens, c'est un bon débarras: les maisons n'étaient plus habitables.

— Disons qu'elles étaient en quelque sorte, marginales: la ville les tolérait.

— Depuis des années, la ville les tolérait: il fallait bien que ça finisse. Finie la tolérance. La ville a peut-être un service secret: *Aux grands maux les grands remèdes.*

— Laisse les proverbes.

— Le feu aurait pris tout seul?

— Demande à l'équipe de Gouin-Girouard, pas à moi.

— Comment s'appelle-t-il, le grand noir qui t'apporte toujours une rose rouge?

Elle n'avait pas bronché. Je ne dirai pas qu'elle aurait dû broncher, mais il m'a semblé qu'elle ne bronchait vraiment pas du tout. Elle n'avait pas vieilli, elle était restée la même: anguleuse et belle. Les pommettes saillantes qui font une ombre ronde, une ombre presque verte, une ombre de la couleur complémentaire de sa peau.

— Tu m'espionnes?

— À peine.

— Je ne veux pas te le dire. Ça me regarde.

— Il te fait rire?

— Tu voudrais peut-être qu'il me fasse pleurer! Tu poses de drôles de questions.

— Ce sont les réponses qui sont importantes, pas les questions. Je n'ai jamais aimé te voir pleurer, peu s'en faut.

— Tu dis ça, toi aussi? Il y a des fautes qui courent.

— Des criminelles.

— Qu'est-ce que tu veux?

— Je fais mon métier. Si on peut appeler ça un métier.

— Tu es vraiment venu me poser des questions?

— Je suis surtout venu écouter tes réponses. C'est toi qui t'occupais de toutes les familles qui habitaient les fameuses maisons.

— Pourquoi fameuses? C'est moi qui m'occupais des familles qui recevaient des prestations.

— Tu avais accès partout.

— J'aurais mis le feu?

— Pourquoi aurais-tu fait ça? Une manie? Une manie de propreté, ça se comprendrait. Une manie de purification, ça pourrait se voir. Tu aurais trouvé ça pour forcer la ville à cesser sa tolérance. Plus de taudis, plus de tolérance. Aux grands taudis les grands feux.

— Ça se tient, ça se tient debout tout seul au milieu de la place, comme un principe.

— Il n'y a pas de principe qui se tienne debout au milieu de la place, même: *tu ne tueras pas*. On peut tuer en légitime défense. Tu ne mettras pas le feu? On peut mettre le feu en légitime défense, peut-être. Dans quel cas pourrait-on le faire? Si tu ne mets pas le feu, tu seras toi-même brûlé: ça pourrait se trouver. L'incendiaire aurait pu être la victime d'un chantage. Tu penses que je divague. C'est vrai. Pourquoi porte-t-il toujours des gants, le grand noir qui te fait rire ? A-t-il des brûlures aux mains ?

— Si tu t'en allais, je pourrais travailler. C'est curieux que Gouin-Girouard t'ait engagé. Tu dois faire contraste avec son équipe.

— Son équipe n'a rien trouvé. Rien du tout.

— Et toi, tu trouves quelque chose ?

— Des expressions fautives qui courent encore. Ça ne te fait pas rire ?

— Non.

— Dis-moi quelque chose de ce grand noir.

— Ne mêle pas ta jalousie à tes enquêtes.

Trois coups à la porte. C'est lui. Elle n'a pas vraiment bronché, mais je sens qu'elle vibre, je le sens dans les flancs.

— C'est lui ?

Il entre et me regarde droit dans les yeux, avec en plus, dans son attitude, quelque chose qui pourrait ressembler à de l'ironie. Valérie ne dit rien. Elle attend qu'il se présente.

— Gilles Dorais.

— Jean-Claude Miron.

— Avez-vous dit Miron ?

— Avez-vous dit Gilles de Rais ?

— Non, non. Dorais, Do.

Sans se regarder, on dirait bien qu'ils sont complices. Mais de quoi ?

— J'allais partir. On m'attend.

Et je suis parti. Ils m'ont regardé sortir du bureau. En marchant sur le trottoir, il me semble que j'ai encore leurs yeux sur les talons, sur les omoplates, sur la nuque. Je ne lui reproche rien, mais pourquoi s'appelle-t-il Gilles Dorais? Il joue avec le feu. Il tend des perches à l'agent aux impondérables. Une perche toute pourrie, comme dans la comptine de mon enfance. Il s'est inventé un faux nom, comme ça, pour s'amuser.

Les jours qui suivent, je me sens obligé de retourner sur les lieux de la complicité. La voiture garée sur une rue transversale, je reviens là où mon compteur Geiger se met à crépiter. Ma casquette de golf sur la tête, mes lunettes de soleil aux yeux, j'ai l'air d'un homme qui se promènerait incognito. Un incognito ostensible. Et j'attends devant la vitrine de vêtements pour hommes: sans bouger, comme un mannequin qui serait sorti. Je me sens triste, moi qui aime tant la joie, moi qui en rêve la nuit. La tristesse est la passion par laquelle l'esprit passe à une perfection moindre et je me sens diminué, ici, devant la vitrine de vêtements pour hommes. Je me sens l'esprit amoindri. Qui a bien pu parler de la grande tristesse? J'ai lu un livre sur la grande tristesse. En italien, c'était plus beau: *la grande tristezza*. En français il n'y a plus rien de grand dans la tristesse. Je me sens petit, collé à la vitrine d'une petite boutique de vêtements pour hommes. À l'heure qu'il est, ils sortent du bureau. Je vois la voiture de Valérie là-bas: une Volks bleu pâle. Je me sens aussi triste qu'au creux du plus creux dimanche. Ils ne me verront pas, ils ne font pas attention à moi: ils ne pensent pas à moi. Qu'est-ce que tu penses de Jean-Claude, Valérie? Je ne pense jamais à Jean-Claude. L'art de tout dire en ne disant rien. Qu'est-ce qu'ils font? Ils sont sortis et je les ai suivis. Ils ont un grand sac de polythène. Qu'est-ce qu'ils veulent faire? Ils montent l'escalier de secours d'une maison de rapport. On dirait qu'ils ont fait ça toute leur vie. Et personne ne les regarde. Moi, je les regarde, mais personne d'autre. Qu'est-ce qu'ils essaient de faire ? Ils s'arrêtent à chaque étage, ouvrent leur sac et s'affairent. Ils s'affairent. Qu'est-ce qu'ils font exactement ? Ils font des signes de reconnaissance aux gens de l'intérieur. On dirait qu'ils posent des thermomètres, on dirait bien des thermomètres.

Quand ils sont redescendus, ils m'ont trouvé devant eux, casquette et lunettes comprises.

— Vous posez des thermomètres ? Pourquoi ?

— Pour mesurer la température.

— À l'intérieur, je comprendrais. Ces gens-là sauraient s'ils sont bien chauffés ou non, mais à l'extérieur ? Tu veux que tes familles sachent le temps qu'il fait dehors ?

— C'est eux qui m'ont demandé un thermomètre extérieur. Ça leur fait plaisir, ça les amuse.

— Qui paie les thermomètres ?

— Ce n'est pas la Sécurité sociale.

— La Sécurité sociale les pose pourtant.

— Je fais ça en dehors des heures de travail. C'est un cadeau qu'on leur fait.

— Qui ça, on ?

— Un donateur anonyme.

— Un philanthrope anonyme ? Quand on est philanthrope, il vaut peut-être mieux rester anonyme. Toi, tu le connais ; et vous aussi, monsieur Dorais, vous le connaissez.

Je ne suis pas sûr de ne pas avoir inventé le sourire de Gilles Dorais.

— Il a quelque chose à cacher, le donateur anonyme ?

— Il se cache pour faire le bien.

En le disant sérieusement, elle se rend compte du ridicule de sa phrase. Elle s'en rend compte, mais elle est courageuse et elle ne recule pas. Elle finit sa phrase quand même.

— C'est vrai qu'on ne fait pas le bien impunément. Il fait peut-être bien de se cacher.

Je suis parti ensuite, après avoir dit ça. Je suis parti courageusement, car ils n'avaient pas d'admiration pour moi, ni l'un ni l'autre. J'ai senti le poids de leur mépris sur mes talons et je me suis senti entravé. Il avait raison celui qui disait que la tristesse est une passion par laquelle l'esprit passe à une perfection moindre.

De loin, il me semble que j'ai entendu rire Valérie. Les gens autour de moi sont tristes pourtant. Elle est la seule à rire. Des gens à l'esprit amoindri, partout autour de moi. On voudrait que la tristesse soit une passion inconnue.

Une envie d'aller voir Anne-Marie qui a été très belle il n'y a pas si longtemps. Une passion a dû amoindrir sa beauté. La vie tout court. La vie est une passion par laquelle la beauté passe à une perfection moindre. L'envie d'être heureux me prend. L'envie d'être heureux comme il m'arrive d'être heureux au cœur de la nuit. L'envie de regagner tout d'un coup toute la perfection de l'esprit par une joie incommensurable. Je répète: incommensurable, comme on s'hypnotise, comme on se fait la leçon, comme on se répète ce qu'il faudrait qu'on sache. Une joie incommensurable et il n'est plus jamais question de perfection moindre, de passion amoindrissante.

Anne-Marie ne sera peut-être pas seule et j'arriverai chez elle comme dans un piège. Jamais allé chez elle. Elle a sûrement quelqu'un dans sa vie. Comme on dit ça, quelqu'un dans sa vie, ça fait encombrant. Et pourtant, si on n'a personne dans sa vie, on est bien seul.

— Jean-Claude! Tu tombes bien! Je viens de me laver la tête et la maison est en désordre.

— Je tombe mal.

— As-tu vu Gouin-Girouard? C'est ça qui t'amène? Tu as su que Martin Martin a été assassiné?

— Non, je ne l'ai pas su. Il se cachait pour faire le bien pourtant.

— Tu me fais rire. C'est pourtant effrayant: assassiné de façon brutale.

— Donne-moi les détails. Puisqu'on a entamé le sujet.

— Je peux attendre à demain, si tu veux.

— Je me promettais d'atteindre à une joie incommensurable. Ne me regarde pas comme ça.

— Tu dis des choses! Pour te dire ça en vitesse, il a été brûlé jusqu'à l'os.

— Un travail propre?

— Gouin-Girouard n'avait pas l'air de trouver que c'était du travail propre.

Elle se brosse les cheveux et ça me fascine. Je suis la brosse du regard comme un chat pourrait le faire.

— Pourquoi la casquette de golf et les lunettes?

— Je voulais tout laisser dans l'auto. Je me suis promené incognito après-midi.

— Tu es comme les enfants: ils se mettent un foulard dans le cou et se pensent méconnaissables.

— Qu'est-ce qui l'a brûlé jusqu'à l'os?

— Une bombe, dans un colis.

— C'est lui qui ouvre ses colis?

— Non. C'est la secrétaire qui a ouvert le colis.

C'était un magnifique baromètre. Mais le baromètre s'ouvrait : c'était le couvercle d'un coffret ciselé.

— Gouin-Girouard réagit comment?

— Mal. Il veut la tête de celui qui a fait ça.

— Il n'est plus intéressé au crime parfait?

— Il y avait une carte, la secrétaire l'a vue.

— Une carte d'anniversaire?

— Une carte de bon voyage.

— Il partait en voyage?

— Il était toujours plus ou moins en partance.

— La carte ressemble à quoi?

— Une carte banale. Il y a une phrase imprimée à l'intérieur : «Mes pensées vont vers toi.»

— Rien d'écrit à la plume?

— Non, comme tu le devines.

— La meilleure équipe d'Amérique du Nord va avoir des problèmes.

— Gouin-Girouard va faire appel à toi si son équipe ne trouve rien.

C'est à peine si elle se moque. Elle sait que j'ai réussi deux beaux coups récemment. Elle sait, elle.

— Penses-tu que l'assassinat de Martin Martin peut être relié aux incendies criminels?

— Je n'ai pas beaucoup d'idées dans le moment. Il m'en vient quand même une. Une idée qui ne semble reliée à aucune autre : le développement outré de la personnalité peut nuire à l'essence véritable.

— J'avoue que je m'en suis souvent douté. C'est ton problème, Jean-Claude?

— Non. Moi, j'ai toujours su éviter cet écueil.

Elle a cessé de se brosser les cheveux. C'est heureux : j'en avais le mal de mer.

— J'ai toujours laissé ma personnalité le plus nue possible. Que mon essence ne soit pas étouffée sous la culture ou une compétence particulière.

— Tu as renoncé à beaucoup de choses pour ça ?

— J'ai renoncé au droit, au contentement de ma mère qui aurait suivi le diplôme, au mariage.

Je l'avais dit tout bas comme un idiot.

— Il est encore temps de te marier.

— Non, il n'est plus temps.

Elle avait mis des napperons sur la table à café.

— Quelle sorte de vie mènes-tu ?

— Une vie solitaire comme tu peux te l'imaginer. Pour la vie sociale, on fait mieux de cultiver sa personnalité plutôt que son essence.

— Tu aimes le fromage ?

— Je n'ai jamais faim.

— Jamais ?

— Rarement.

— Ta mère a dû te gaver quand tu étais petit. Elle a dû aller au devant de tes moindres désirs.

— Et toi, Anne-Marie, quelle sorte de vie mènes-tu ?

— J'ai des amis. J'ai beaucoup d'amis de tous les sexes. Je les cultive parce que j'aime avoir beaucoup d'amis. Comment fais-tu pour être toujours tout seul ?

— Comment fais-tu ? C'est toujours le verbe faire qu'on emploie. Comme s'il fallait toujours faire quelque chose. Je ne fais rien pour être seul et je ne fais rien seul non plus.

— Tu t'ennuies ?

— Au cœur de l'après-midi le dimanche, je m'ennuie tellement que j'ai une sensation très nette de brûlure, de brûlure humide, de brûlure à l'eau bouillante.

— Qu'est-ce que tu fais pour te désennuyer?

— Qu'est-ce que tu fais? Pourquoi faudrait-il toujours faire quelque chose? Je ne fais rien.

— Tu prends ton mal en patience?

— Je m'écoute bouillir.

— Ça fait du bruit?

— Ça ne fait pas de bruit. Encore le verbe faire.

— Puisque tu écoutes. C'est une action, écouter.

— Je ne me défends pas de m'ennuyer, je ne me défends pas contre l'ennui non plus.

— On dirait que ça te fait plaisir.

— Fait plaisir! Encore *faire*. C'est long avant que le plaisir vienne, c'est long.

— Il faut que tout l'ennui se soit évaporé à force de bouillir, c'est ça?

— Il n'est jamais vraiment évaporé, il est toujours là.

— C'est de l'ennui bouilli.

— Ça te fait rire? Tu vois: encore le verbe faire!

— Non, ça ne me fait pas rire. Je trouve ça triste.

— Au cœur de la nuit ensuite, il m'arrive d'être si heureux...

— Que tu te remets à bouillir.

— Non, il me semble que la joie est sèche.

— Tu brûles de joie à feu vif?

— Tu ris quand même un peu.

— Quand même un peu. Tu voulais me dire quelque chose? Tu n'es pas venu ici pour rien.

— Pour rien. Par goût.

— Tu me fais plaisir.

— Encore le verbe faire.

— Veux-tu qu'on parle de l'affaire Martin Martin?

— Laquelle?

— Il aurait quelque chose à voir avec les incendies criminels ? C'est difficile à croire. Il était trop riche pour s'adonner à des choses pareilles. Pourquoi ?

— Pour le plaisir d'avoir une double vie peut-être.

— As-tu des preuves ?

— Non. Rien que des mots employés à mauvais escient.

— Tu n'as pas retrouvé le bonhomme qui te faisait des confidences au téléphone ?

— Je pense que oui.

— Tu n'es pas sûr ?

— Non, je ne suis pas sûr. Employer un mot pour un autre, c'est un mal qui court. Et le sien est contagieux plus que de raison.

— Quel mot ?

— *Peu s'en faut,* tu te souviens ? Ce qu'il faudrait retrouver, c'est tout le pli de l'esprit. Toute sa vie doit avoir le même pli si c'est lui. Ce serait comme un dessin qui se formerait au pied de la chute. Un dessin d'eau. Jamais la même eau toujours le même dessin à peu de chose près.

— Tu sais quelque chose à son sujet ?

— Je l'ai vu, je l'ai suivi, je l'ai entendu parler.

— Je pense que tu es sûr, au fond.

— Presque sûr. Quand je le suis, il me semble qu'il marche comme il parlait au téléphone. Tout droit et puis comme une anicroche, comme une faute de français, comme un lapsus. Il y a son sourire aussi : son sourire fait un dessin au pied de la chute. Un certain air empesé, emprunté et puis tout d'un coup ce sourire de l'autre monde qui lui vient à la face. Comme si une force intérieure faisait subir à tout son visage une certaine déviation, une déformation spécifique.

— Spécifique? Tu penses que j'ai ma déviation spécifique, moi aussi? Mon dessin spécifique? Je voudrais le voir: question de curiosité. Ça relève de la personne ou de l'essence?

— De l'essence. Soit dit sans rire. La personne c'est l'eau qui coule, plus ou moins chaude, plus ou moins propre, plus ou moins colorée, mais le dessin au bas de la chute, la fleur d'eau qui se forme, c'est l'essence.

— S'il n'y avait pas d'eau, il n'y aurait pas de fleur d'eau.

— On dirait bien que tu as raison. Mais il y a des chutes qui ne font pas de fleurs d'eau.

— C'est que l'essence est morte! Pas de dessin! Je voudrais avoir une fleur au bas de ma chute.

— Tu t'endors. Je suis là à t'empêcher de dormir.

— Je n'ai pas envie de dormir. Je ne te l'ai pas dit mais depuis quelque temps je me sens comme toi, le dimanche. Depuis quelque temps, je m'ennuie à bouillir.

— Ça dure tout le temps? Ça dure longtemps?

— Non. Je me défends. Je me défends de m'ennuyer et je me défends contre l'ennui: les deux.

— Ça dure quand même quelque temps?

— Oui. J'ai beau me défendre, ça dure. Comme une fleur d'ennui dans le bas de ma chute. C'est peut-être mon essence. Il me semble quand même qu'il faut se défendre.

— Tu disais que tu étais curieuse de savoir ton dessin.

— Maintenant j'ai peur.

— D'être déçue de ton dessin?

— Je voudrais un beau dessin. Veux-tu que je fasse encore du café?

— Tu veux toujours faire quelque chose.

— Oui. Je vais faire du café. Je le réussis bien, t'en es-tu rendu compte?

Deux heures et il restait là avec elle. Qu'est-ce qu'il cherchait à savoir, il n'en savait rien. Il voulait être avec elle quand viendrait la joie. Fleur de joie, fleur d'ennui, fleur de joie, fleur d'ennui: la même fleur peut-être. Ouverte, fermée, ouverte, fermée. Comme les alchimistes qui n'en finissaient plus: lave calcine lave calcine.

— Tu m'as demandé ce que j'étais venu faire ici. Si je te disais que je suis venu faire l'amour avec toi, me croirais-tu?

— Tu ne veux rien avoir à faire avec le verbe faire pourtant. Pourquoi aujourd'hui? Et Valérie que tu voulais épouser, qu'est-elle devenue?

— Elle est toujours là.

— Tu t'es rendu compte que tu ne l'avais jamais aimée?

— Je ne sais pas. Je sais que j'ai forfait à son amour.

— Tu ne fais rien, tu ne veux rien avoir à faire avec le verbe faire et tu as forfait à son amour?

— C'est comme ça.

— Tout le monde semble croire que tu es impuissant.

— Comme je le disais, j'ai peu de relations avec le verbe faire. Ça laisse une drôle d'impression aux gens.

— Pourquoi moi?

— Je te donnerais une raison impondérable.

La joie était là, dans toute sa force. Jusqu'à la racine des cheveux, jusqu'à la racine de tous les poils. Qui perd son nom, qui devient esprit, qui devient autre

chose. Une pointe aiguë au cœur de la joie, au cœur de
la nuit.

— Pourquoi moi ?
— Ton dessin est comme le mien.

4

GOUIN-GIROUARD n'en était pas revenu. C'était comme une offense personnelle et le crime parfait n'avait plus aucun charme pour lui. Anne-Marie le regardait marcher comme un lion dans sa cage, comme un lion qui se dépêcherait, qui aurait entrepris de battre des records de longueur et de largeur. Il rebondissait à chaque bout de son bureau. Il se donnait un élan pour ne pas perdre de temps. Essoufflé, écœuré, blanc.

— Mon ami, c'était mon ami. C'est à moi que l'assassin en veut. C'est parmi mes ennemis à moi qu'il faut chercher. C'est moi qu'il a visé, moi. Je suis touché. Quand on dit ça: «Je suis touché», à propos de tout et de rien, on ne se rend pas compte de ce que l'expression veut vraiment dire. Je suis touché. Je ne serai plus jamais le même. Jamais.

Anne-Marie était distraite. Elle pensait à Jean-Claude et à la nuit blanche qu'ils avaient passée. Une nuit blanche! On dit ça à propos de tout et de rien aussi. On dit ça sans savoir vraiment ce qu'on dit. Une nuit vraiment blanche, comme un blanc de mémoire, comme un chèque en blanc. Comme un mariage peut être blanc... Et pourtant il n'est pas impuissant. Quelle toundra : à se croire dans le Grand Nord ! Toute cette étendue plate où le vent passe en lissant encore le blanc, en durcissant encore le blanc.

— Et mon équipe qui ne trouve rien. C'est une malédiction.

— Pas d'empreintes nulle part sur le papier brun ?

— Des centaines d'empreintes, c'est comme aucune empreinte.

— Aucune qu'on pourrait identifier ?

— Celles de la secrétaire, celles du facteur.

— La machine à écrire ?

— Électrique. Très moderne. Marque connue. Procéder par élimination, ce serait long.

Elle avait failli parler du bonhomme de Jean-Claude. C'est à lui d'en parler si tant est que ses *peu s'en faut* riment à quelque chose.

— Qui hérite de la fortune Martin Martin ? Les pauvres ou les artistes ? Il était philanthrope et mécène, c'est beaucoup pour un seul homme.

— Un mécène, un homme généreux.

— Il paraît même qu'il se cachait pour faire la charité. Il faudrait peut-être creuser là.

— Où ça ?

— D'habitude il ne se cachait pas pour faire ses dons : il y mettait de l'ostentation. Disons : une certaine ostentation. Qu'il se soit caché pour faire certains dons me surprend. Cherche donc les gens à qui il donnait en se cachant.

— Puisqu'il se cachait. Comment le sais-tu, toi ?

— Jean-Claude m'a parlé de quelque chose dans ce genre-là.

— Trouve-le et dis-lui de venir me voir. Tout de suite. On va faire comme Nietzsche qui s'inventait des théories et des points de vue uniquement pour les dépasser ensuite.

Anne-Marie s'était arrêtée au milieu de la place pour l'entendre dire une pareille chose. Il avait rebondi et repartait pour une autre largeur.

— Tu restes là, comme si tu n'avais jamais entendu parler de Nietzsche. Je n'ai pas toujours été commissaire. Je lisais beaucoup, j'avais une personnalité très... très élaborée, si on peut dire.

— As-tu déjà eu l'impression que ton essence suffoquait sous ta personnalité?

— Oui. Souvent même.

Il n'avait même pas l'air surpris de se faire poser une pareille question.

— C'était le problème de Martin Martin aussi. On en parlait ensemble de longues fins de semaine. Il était très cultivé et s'intéressait à tout. Il touchait à tout.

— À tout tout ou à tout ce qui est bien?

— C'était un pécheur, sans doute. Sans doute.

— Il n'a pas d'enfants?

— Pas de famille non. Un neveu qu'il ne pouvait sentir. Il n'entre pas en ligne de compte.

— Cherche donc un peu du côté du neveu.

— Il aurait fait ça uniquement pour se venger? Il aurait risqué la prison à vie pour rien?

— Pourquoi Martin Martin avait-il une dent contre son neveu?

Les expressions figées me roulent dans la bouche comme les glaçons de mon enfance, ceux qu'on décrochait du toit du solarium et qui avaient un goût de suie et d'eau de rivière: la saveur spécifique de l'hiver. La dent qu'avait Martin Martin contre son neveu me refroidit la bouche, me laisse la langue contractée.

Jean-Claude était là depuis quelque temps. Anne-Marie était sortie mais Gouin-Girouard ne semblait pas s'être aperçu du changement d'interlocuteur. Il était absorbé. Quand Jean-Claude lui avait demandé si le neveu était un maniaque, il avait dit : « Oui ».

— Quelle sorte de maniaque ?

— Disons qu'il a des idées fixes de temps en temps. Il n'est pas dangereux, mais de temps en temps, on dirait qu'il a une idée fixe.

— Il a déjà eu des démêlés avec la police ?

— Oui. Il y a quelques années il a eu des démêlés, enfin, on ne peut pas appeler ça des démêlés. On s'est aperçu qu'on s'était trompé.

— C'est mêlé, ce que tu me dis. Fais-tu le bien en cachette, toi aussi ? Donnes-tu l'absolution aux neveux de tes amis ?

— Puisque je te dis qu'on s'était trompé : il n'avait rien à voir avec l'affaire. C'était une erreur pure et simple.

— Mais tu continues de dire que c'est un maniaque.

— Avoir des idées fixes n'est pas un crime, mais son oncle n'était pas peu fier de lui.

— Tu dis le contraire de ce que tu veux dire.

— Tu sais ce que je veux dire.

— Je me mets à savoir ce que tu ne veux pas dire. Il porte le nom de Martin ?

— Pas vraiment.

— Il a changé de nom ?

— En un sens.

— Qu'est-ce qu'il fait ?

— Je lui ai fait confiance et je l'ai recommandé.

— Où ?

— Au service des incendies.

— Pompier?

— Oui.

— C'est assez effrayant, ce que tu dis là. Je me sens comme si j'avais trouvé le mot-mystère.

— Tu fais des mots-mystères, toi?

— Jamais. Mais je sais que je me sentirais comme je me sens en ce moment si je trouvais le mot-mystère.

— Il aurait tué son oncle, c'est ça que tu veux dire?

— Ça et autre chose encore.

— Comme ça, pour rien. Il n'a rien, du moins je ne pense pas qu'il puisse avoir quelque chose de la succession.

— Fais-le venir et tu vas te mettre à savoir toutes sortes de choses.

— C'était mon intention de l'interroger mais seulement pour la forme. Tu penses vraiment...? Tu n'as rien trouvé dans l'affaire des incendies?

— Tu voudrais que ce soient des incendies accidentels.

— Il ne s'agit pas de ce que je voudrais, pourquoi dis-tu ça?

— Les assurances, où en sont-elles?

— Elles vont payer. Je pense que leur enquête n'a rien donné. Rien du tout.

— Tu l'as ton crime parfait, on dirait bien que tu le tiens.

— Un crime parfait est d'abord un crime.

— Le crime est si parfait qu'on ne le voit plus. On ne voit plus la différence entre un crime et... Qu'est-ce que c'est, le mot contraire? Bonne action? Martin

Martin avec sa manie des bonnes œuvres était peut-être un spécialiste des crimes parfaits.

— Tu ne raisonnes pas, tu résonnes.

— Comme les cloches.

— Tu as les yeux cernés depuis quelque temps. Passes-tu tes nuits sur la corde à linge?

— C'est plein de fantaisie, ça, comme expression.

— Je ne te dirai pas que tu me fatigues. Toi et tes vues de l'esprit...

— Martin Martin m'a dit la même chose.

— C'était mon ami. Les façons de parler, c'est contagieux.

— Il te laisse quelque chose?

— Évidemment. Vas-tu te mettre à me soupçonner?

— Il ne te laisse pas assez pour que la chose soit plausible?

— Il me laisse beaucoup, du moins je le pense. Mais c'est de lui que j'avais besoin, pas de son argent.

— Je sais bien que ce n'est pas toi.

— Je suis bien las.

— Tu étais né pour autre chose?

— J'aurais voulu être archéologue.

— Martin Martin te laisse sa collection de pièces rares?

— Oui. Mais je n'étais pas pressé. Elle m'était même plus précieuse dans ses mains que dans les miennes.

— Tu fais précieux, Gouin-Girouard.

— Je le sais. Je le fais exprès, voilà la vérité. J'ai du plaisir à dire des choses que personne ne dit plus.

— Tu jouis de ta collection de beaux mots.

— Ça m'épuise toujours un peu de parler avec toi.

— Il faut dire que tu as battu des records dans la marche de long en large. C'est une discipline comme une autre et tu la pratiques plus qu'on ne le pense. Si je vois Anne-Marie, veux-tu que je lui dise de rejoindre le neveu ?

— Tu sais qui c'est ?

— Évidemment.

— Tu mets ton nez partout. Je ne t'avais pas dit de t'occuper de l'affaire de l'assassinat. Tu n'as pas trouvé la moindre petite chose dans l'affaire des incendies. De quoi te mêles-tu ?

— De rien. Au fond je ne fais rien, tu le sais.

— Je m'occupe personnellement du neveu.

— Comme tu voudras.

— Comment as-tu su qu'il était le neveu de Martin ? Il te l'a dit ? Il ne te l'a certainement pas dit lui-même.

Anne-Marie avait vu entrer Valérie dans son bureau.

— Qu'est-ce qui t'amène ?

— L'assassinat de Martin Martin.

— Tu sais quelque chose ?

— Disons que je ne sais pas si ce que je sais concerne vraiment l'affaire. Je voudrais d'abord savoir ce que vous savez. Je saurai si je me suis trompée ou non.

— Moi, tu sais, je ne peux rien te dire. Je suis tenue au secret.

— Curieuse expression. On dirait qu'on t'enferme ou quelque chose de semblable...

— Je suis : *top secret*. Je ne peux pas être dévoilée aux profanes. C'est bien comme ça que tu l'avais compris ?

— Je saurais probablement quelque chose si seulement je savais une certaine chose.

— Veux-tu voir Gouin-Girouard? Lui pourrait te dire tout ce qu'il veut. C'est le patron, lui.

— Je ne sais rien de précis, j'aurais l'air d'une folle.

— Alors, vas-y courageusement et dis-moi ce que tu crois savoir. Ensuite je pourrai te dire si tu savais vraiment quelque chose, oui ou non. Entre nous, c'est facile.

— Je connais quelqu'un qui détestait Martin Martin. Et ce quelqu'un est un expert en explosifs. Il les fabrique en secret. Évidemment, on peut détester Martin Martin, être expert en explosifs et n'avoir rien à voir avec l'assassinat.

— Dis-moi tout.

— Non, je ne peux pas. Si je me trompais!

— Tu parles du neveu de Martin Martin?

— Vous l'avez convoqué?

— Dis-moi tout. Au procès, de toute façon, il faudra bien que tu dises tout.

— Ça s'annonce bien mal, mais il n'a peut-être rien à voir avec la mort de son oncle. Je ne voudrais pas jeter le soupçon sur lui.

— On disait aussi: jeter le gant.

— Ça n'a pas de rapport avec ce que je te dis.

— Je sais. Oublie ça. Si ton protégé n'a rien à voir avec l'assassinat, je ne vois pas pourquoi il en souffrirait.

— Qu'est-ce que tu dis?

— Veux-tu faire une déposition?

— Non, je me sens souffrante. Je n'aime pas du tout le rôle que je joue.

— Tu as l'air souffrante, Valérie. Je vais te faire du thé. Ou bien préfères-tu du café ?

— Non, pas de café.

— Tu es au courant de l'existence du baromètre depuis longtemps ?

— Le baromètre n'était que le couvercle d'un magnifique coffret. Il appartenait à Martin Martin qui l'avait donné à son neveu, ça, je le sais avec certitude.

— Là, tu jettes le soupçon sur lui. Et d'aplomb. Là, tu jettes le gant.

— Ça n'a pas de rapport : jeter le gant.

— Je sais. Ne porte pas attention.

— Je n'aime pas le rôle que je joue, Anne-Marie. Qu'est-ce que tu vas penser de moi. Peux-tu t'arranger pour ne pas parler de moi ? À personne ?

— Tu veux rester anonyme ?

— Je connais bien le neveu de Martin Martin. On se voit assez souvent. C'est un homme très seul. Disons que ce que je sais de lui, je l'ai su par des confidences. Je ne suis pas fière de moi. Je n'aurais jamais dû venir.

— Il est pompier dans le moment ?

— Il rêve d'autre chose.

— Comme beaucoup de monde.

— Il ne porte pas le nom de Martin. Depuis que son oncle l'a renié, il porte le nom de Gilles Dorais.

— Il a choisi ce nom-là !

— Comme ça, pour rire.

— Tu es allée souvent chez lui ?

— À quelques reprises.

— C'est là que tu as vu le baromètre ? C'est curieux que son oncle, qui ne pouvait pas le sentir, lui ait donné une si belle pièce. En signe de méconnaissance peut-être.

— Martin Martin était un homme imprévisible.

— Sais-tu l'impression que j'ai, Valérie? L'impression très nette? Tu es en train de monter un bateau, un bateau piégé.

— Je n'aurais pas dû venir. Je ne mens pas. Nulle part.

— Tu ne mens pas, je le sais. Et pourtant tu mens de quelque façon en ne disant que des choses vraies. Tu sous-entends toutes sortes de mensonges.

— Je me suis sentie obligée de venir.

— Tu ne serais pas venue uniquement pour aider la police dans son enquête.

— Pourquoi alors? Tu as l'esprit mal tourné. J'ai hésité longtemps avant de me décider. Je n'ai pas dormi de la nuit. Je ne sais rien de précis.

— Ça me paraît précis. Tu nous montres du doigt le propriétaire du baromètre et tu nous dit que c'est un expert en explosifs. Tu ajoutes que c'est le neveu de la victime et qu'il détestait son oncle. C'est une accusation précise. Remarque qu'il y a des choses qu'on savait déjà.

Gouin-Girouard était entré sans frapper. Il avait entendu ce qu'Anne-Marie avait dit.

Valérie avait l'œil blanc des idéalistes: l'iris bleu pâle souligné d'un croissant blanc.

— Ne vous en faites pas, mademoiselle. Ne vous faites pas de reproches. Nous savions déjà tout ça. Il est sous arrêt depuis déjà quelques minutes.

— Déjà!

— J'ai la meilleure équipe d'Amérique du Nord. Ne vous faites pas de reproches: nous n'avions pas besoin de votre...

70

Il avait cherché le mot, ne l'avait pas trouvé. Nerveux comme il était, en mal de battre son propre record dans le long en large, il était reparti là d'où il était venu sans finir sa phrase.

— Tu vois que tu n'avais pas à t'en faire. On n'avait pas besoin de ton... et ce n'est pas grâce à toi qu'il a été arrêté.

— Tu me méprises, Anne-Marie.

— Moi, je ne serais pas venue. Je ne te comprends pas. Tu le détestes ou quoi?

— Je ne le déteste pas.

— C'est équivoque comme expression.

— Comment ça, équivoque? Puisqu'il s'agit de ma façon de m'exprimer, il me semble que ça me concerne. Comment ça, équivoque?

Anne-Marie répondait au téléphone et semblait avoir raturé Valérie de ses préoccupations. Et Valérie était partie avec un haussement d'épaules.

Elle rentrait chez elle après une longue journée. Une journée de combien d'heures, elle n'aurait su le dire au juste. Elle était fatiguée mais assouvie.

Elle enlevait tout en rentrant chez elle. Tous ses vêtements restaient dans le hall d'entrée. Nue, collante de sueur, elle s'en allait sous la douche comme les catéchumènes allaient aux fonds baptismaux: avec l'intention d'en sortir neuve, avec la ferme intention de ne plus rien savoir de l'autre, de la vieille femme.

Elle s'était lavée jusqu'au bout des cheveux, jusqu'aux yeux, jusqu'au fond des ongles. Épilée, brossée, lissée, parfumée.

— Nette pour toujours. Je suis propre maintenant. Ma belle robe indienne, un bon disque, un livre, des fruits: c'est assez. La paix des choses faites. L'assouvissement: je n'aurais pas pensé qu'on pouvait être si calme, si détendue.

Le carillon avait carillonné. Elle n'avait pas pu supporter la sonnette électrique, elle avait payé cher ce carillon aux trois notes indécentes. Indécentes: c'est le mot. Et il insiste: homme stupide, va-t'en. Elle n'est pas ici, celle que tu cherches. Ça me rappelle quelque chose, cette phrase-là: celle que tu cherches n'est plus ici. Qu'est-ce qui vient ensuite? Qu'est-ce que je peux faire? Le laisser carillonner indéfiniment. C'est pire: les trois notes indécentes à intervalles indécents, c'est pire que d'aller ouvrir. Il doit savoir que je suis là, il a dû me voir rentrer. Ce doit être Jean-Claude: c'était bien lui de l'autre côté de la rue. Quand il me suit incognito, il a toujours cet air-là. Plus reconnaissable que sans déguisement.

— C'est toi. Je le savais. Je suis fatiguée. J'ai un début de grippe. Ce que tu as à dire, dis-le vite.

Ça aussi, ça me rappelle une autre phrase. C'est drôle, tout ce que je dis aujourd'hui me rappelle quelque chose d'autre. Mes phrases d'aujourd'hui me rappellent des phrases lointaines. Des phrases sourdes que j'entends à peine battre, mais que j'entends. Ce que tu as à dire, dis-le vite.

— Tu es venue au bureau aujourd'hui? On pourrait aller dans une autre pièce.

— Non. Le hall d'entrée convient parfaitement à ces sortes de choses. Ce que tu as à dire, dis-le vite.

Qu'est-ce que ça me rappelle? J'ai beau chercher. Les mots sont loin: on dirait une communication téléphonique où l'on n'entendrait que des débris de mots.

— Moi aussi, je suis fatigué, Valérie. Moi aussi, j'ai eu une longue journée, Valérie.

— Quand on te demande ce que tu fais, tu dis toujours : « Rien ».

— Il n'y a même pas de chaise ici.

— Tu t'attarderais. Dis-le vite.

— Je n'ai rien à te dire. Je suis venu t'écouter.

— Alors, va-t'en.

— Les preuves contre lui sont accablantes. Tu as la bouche cousue, je le sais.

— Va-t'en, je suis fatiguée.

— C'est vrai que son oncle lui avait donné le baromètre précieux, c'est vrai. Et on a retrouvé chez lui les mêmes explosifs, les mêmes. Sais-tu ce qu'il dit pour sa défense ? Qu'il avait perdu le baromètre. Il dit qu'un jour, il ne l'a plus retrouvé. Il ne sait même pas quand au juste. C'était un cadeau de son oncle et il lui semblait que c'était un espion dans sa vie, un encombrement, pour le moins. Il dit qu'il était content de ne plus le retrouver. Il a cru à un vol. Il dit qu'il n'a pas assassiné son oncle. Tu as la bouche cousue, Valérie ?

— Une mauvaise défense, ça fait candide, ça fait innocent : c'est voulu. Il m'a toujours paru très intelligent, très maître de tout ce qu'il disait, de tout ce qu'il faisait. Il était meilleur que toi dans l'incognito, l'anonymat et le pseudonyme.

— Il jouait avec le feu de temps en temps.

— Tu le connaissais avant de le voir au bureau ?

— Pas vraiment.

— Qu'est-ce que tu veux, Jean-Claude ? Tu souhaites vraiment faire la conversation ?

— Non. Je n'aime pas le verbe faire.

— Si tu as quelque chose à me dire, dis-le vite.

— Il a parlé de toi.

— En quel honneur?

Maman aussi disait ça: « En quel honneur? » À tout propos. Le sens s'était perdu, il restait le ton, il restait le reproche. Le sens de tout ce qu'elle disait se perdait au fond des âges, il restait toujours le reproche. C'était l'essence de tout ce qu'elle disait: à quoi bon écouter désormais... Toute sa chute d'eau devenue fleur de reproche. L'eau ne tombe plus, elle rejaillit toute en forme de fleur de reproche.

— En quel honneur?

— Il t'a mentionnée comme ça, en parlant de son emploi du temps. Tu le voyais beaucoup.

— Je le voyais, tu le sais.

— Tu acceptais ses roses rouges.

— Il était très seul. Moi, c'est une déformation professionnelle: je suis portée à aider les gens.

— Et il te faisait des confidences?

— Il devait mentir à tout propos. Il mentait per-pétuellement.

— Le crime parfait, c'est comme le mouvement perpétuel, le savais-tu? Comment sais-tu qu'il était seul s'il mentait tout le temps?

— Il cherchait un support moral.

— On dirait que tu mens beaucoup, toi aussi. Si la police te demande ton opinion, qu'est-ce que tu vas dire? Ce que tu as dit à Anne-Marie? Que tu le soup-çonnes d'avoir fait le coup.

— C'est fait maintenant. Si c'était à refaire, je n'irais pas dire ça. Je garderais ça pour moi.

— Qu'est-ce que tu craignais? Qu'on ne l'arrête pas? Qu'il s'en tire?

— Tu veux me faire parler et tous les moyens te semblent bons mais je n'ai rien à dire. Je le voyais souvent et j'ai été à même de savoir des choses sur lui: j'aimerais mieux ne rien savoir. En cour, j'en dirai le moins possible mais je serai sous serment. Pourtant, j'en dirai le moins possible.

— Et l'autre. Quand tu seras sous serment, diras-tu que tu connaissais l'autre? Martin Martin?

— Je l'ai vu quelques fois.

— Il te faisait des cadeaux pour tes familles.

— De la façon dont tu dis ça, je vais me prendre pour une dame patronnesse. Il était riche à millions.

— Diras-tu que tu le voyais en secret?

— Quand ça?

— Tu m'as dit qu'il se cachait pour faire le bien.

— Il ne s'en vantait pas, c'est ce que j'ai voulu dire.

— Tu le voyais en secret à titre personnel.

— Qui dit ça?

— Quand tu seras sous serment, diras-tu la vérité?

— Toute la vérité en ce qui concerne la cause.

— Sait-on jamais tout ce qui peut se rapporter à une cause. Tu l'aimais en secret, il t'aimait en secret, du moins il te le disait et puis tu as su qu'il mentait, qu'il te trompait, qu'il s'était servi de toi comme d'un instrument et tu t'es vengée en secret.

— Va-t'en maintenant, tu as bien assez dit de choses pour aujourd'hui. Comment est ta mère?

— Je te l'ai dit l'autre jour.

— C'était une façon de te dire que je t'ai assez vu, assez entendu. Il est presque dix heures: ma belle soirée rongée.

— Pourquoi rongée? On en dit plus qu'on veut en dire par les mots qu'on emploie.

— Va te conter tes histoires ailleurs. N'essaie pas de continuer la conversation. Elle est épuisée.

— Toi, tu es épuisée, vidée. C'est visible.

— Et tu restes là, à me dire ça, au lieu de t'en aller.

— Pourquoi as-tu fait ça, Valérie? Toute ta vie passée à sauver les gens, à les aider, à les aimer. Je le sais que tu passes ta vie à abattre la misère autour de toi, je le sais. Qu'est-ce qu'il a pu te faire pour t'induire à commettre une chose pareille? Bouche cousue. Et tu ne diras rien de plus au procès même si on te demande de dire toute la vérité. Les vérités secrètes, tu vas les garder pour toi. Les vérités importantes. Tu ne veux pas le sauver, le neveu. Tu les as cognés l'un contre l'autre, tête contre tête. Le neveu sera condamné et toi tu continueras à sauver le monde. Ni vue ni connue, tu continueras de travailler à la Sécurité sociale jusqu'à la fin de ta vie.

— Comment est ta mère?

— Je sais ce que tu ressens.

— Tu ne me fais pas rire.

— Je le sais. On est porté à être ce qu'on est. On a beau dire, on est porté à être malheureux.

— Tu disais toujours que la joie était la passion par laquelle l'esprit atteignait à une perfection plus grande. Tu le disais toujours.

— Au cœur de la nuit, ça m'arrive: une joie plus grande que toute la tristesse que j'ai jamais éprouvée. Mais on est porté... Au cœur de la nuit, j'ai l'impression d'avoir égaré mon angoisse.

— Tu parles encore de ton angoisse, toi?

— Si peu, si tu savais. Je ne prononce plus le mot qu'une fois tous les cinq ans. Au cœur de la nuit, c'est comme si je réussissais à l'égarer. Mais elle me retrouve. Au matin, elle est revenue: comme une grosse chatte blanche, elle revient toujours.

— Comment va ta mère, Jean-Claude?

— On signe tout ce qu'on fait, tout ce qu'on dit. Le crime parfait, c'est comme le mouvement perpétuel. Tu penses bien ne pas avoir signé le tien. Ça ne prend pas grand-chose. Tes pensées peuvent te trahir. Un lapsus peut te trahir. Tu vas rougir en parlant de Martin Martin. Quand tu vas dire au juge qu'il se cachait pour faire le bien, tu vas penser à vos rendez-vous érotiques.

— Érotiques! Va retrouver ta mère, la femme en rouge.

— Je m'en vais. Je n'ai rien contre toi. L'équipe de Gouin-Girouard n'a rien trouvé contre toi non plus. Mais entre deux maux, le neveu va peut-être choisir le moindre. S'il se mettait à dire toute la vérité à propos de certains thermomètres que vous alliez poser ensemble, peut-être que vos vérités secrètes se recouperaient ici et là.

— Embrasse bien ta mère pour moi. Sais-tu que ta mère m'a embrassée, cet été-là? Sais-tu qu'elle m'a caressée, pressée, violée, le sais-tu? C'est une vérité secrète, ça. Le sais-tu? Tu détournes ta pensée, tu t'en vas semer ton angoisse dans les bois comme le père du Petit Poucet? Elle me disait qu'elle m'aimait à en devenir folle. J'ai connu ça, moi. Elle connaissait Martin Martin, ta mère. Si on l'amenait en cour pour lui faire dire ses vérités secrètes, on saurait toutes sortes de choses.

— Ça ne regarde en rien l'assassinat.

— Pourquoi pas? Elle a pu se prendre d'amour frénétique pour lui comme elle s'est prise d'amour frénétique pour moi, il y a quelques années. C'est un homme qui a réussi, Martin Martin: millionnaire, philanthrope, mécène. Elle aimait les gens qui réussissent, ta mère.

— Ce que tu dis là ne rime à rien.

— Ce que tu dis ne rime à rien non plus.

5

JEAN-CLAUDE était sorti en traînant les pieds. Onze heures et pourtant il roulait vers la maison maternelle. Elle est insomniaque. Le mot ramenait *maniaque*. Sa mère avait ses charités secrètes, il le savait depuis longtemps : il n'appuyait pas, il y pensait toujours sans peser. Il se sauvait de justesse : il y a des choses auxquelles il ne faut pas penser, de peur de mourir, des vérités qu'il faut se cacher. Les vérités secrètes des œuvres secrètes. Elle devait lire au lit comme elle le faisait toujours : de la lumière dans sa chambre.

Il avait beau sonner, elle ne venait pas répondre. Elle a dû s'endormir en lisant comme elle le fait toujours. Il sortit sa clé et monta le bel escalier en spirale. La porte de la chambre était ouverte : la tête renversée sur le fauteuil de lit, sa mère était morte. Elle était froide et raide. L'œil exorbité, les mâchoires crispées. Sur le lit, une petite boîte de chocholats à la liqueur : quelques chocolats seulement mais la boîte était un bijou d'orfèvrerie. Il s'était pris à se dire : bijou d'orfèvrerie, comme si c'était important, comme si c'était rassurant de quelque façon. Elle avait les doigts fermés sur ce qui pouvait être un journal intime. Il réussit à le tirer doucement : la main s'ouvrit, la paume vers le ciel.

— Vers le ciel : tout ce qui nous vient à l'esprit ! De quoi est faite une mémoire...

L'écriture du journal était soignée, précieuse, le papier fin et sans lignes. La couverture de cuir ciselé rouge chinois était d'une souplesse incroyable.

— Ce n'est pas son écriture. C'est la page qu'elle lisait quand elle est morte.

« Aujourd'hui, vingt-six juillet, les bonnes âmes disent que c'est la fête de Sainte-Anne, moi, c'est à Néron que je pense : c'était un raffiné et moi aussi. Et il s'ennuyait. Comme moi. Comment ne pas s'ennuyer quand on est empereur et que tout cède devant soi. Tout. Même cette belle fille de la S.s.... Je savais bien qu'elle finirait par céder. Même elle. Au fond, j'aurais préféré qu'elle continue de résister. Mais je voulais qu'elle cède. Le jeu le plus subtil qu'on puisse jouer : celui qu'on joue contre soi-même. Je voulais qu'elle résiste et qu'elle cède. Je l'aimais quand elle résistait, je m'aimais vainqueur. Tout le monde a son prix : même elle. J'ai su que ce n'est pas à elle que je devais donner, j'ai su que je devais donner à ses pauvres. Elle a ses pauvres comme les anciennes châtelaines. Elle a ces gens qui ont besoin d'aide, d'une aide spéciale et elle est là avec sa ferveur, son courage, sa joie de fille généreuse, elle est là à vouloir les sauver de la misère, du cercle vicieux de la petite misère subventionnée, entretenue. Moi, j'étais là et je suis entré dans ses vues : on regardait ensemble dans la même direction. Et je l'ai eue et j'ai fait d'elle ce que j'ai voulu : plus aucune pudeur, plus rien. J'aurais pu aller encore plus loin: je n'ai pas vu pareille confiance par ici.»

J'ai des crampes dans les mains. Le petit livre dans la poche intérieure de mon manteau, je mets un livre de philosophie dans la main de ma mère: l'*Éthique* de Spinoza. Et je téléphone à ceux à qui il faut téléphoner dans un cas comme celui-là. Et j'attends. Ceux qui devaient venir sont venus et le cœur de la nuit est venu. Au cœur de la nuit, je n'ai plus qu'une douleur aiguë aux tempes et pas de joie. L'aube vient, une aube vert pâle et ce qui doit se passer se passe: des questions, des signatures, l'autopsie.

— De qui venaient les chocolats?

— Je ne sais pas.

— C'est une belle boîte. Pensez-vous qu'elle a pu les acheter elle-même?

— Elle aimait les belles choses.

— Connaissez-vous quelqu'un qui aurait pu lui donner une boîte de chocolats de ce prix-là?

— Elle connaissait beaucoup de monde.

L'un des policiers crut bon d'ajouter que c'était une quêteuse émérite. Il avait dit *émérite* comme on dit un mot rare dont on n'est pas trop sûr.

— Je veux dire qu'elle était toujours prête quand on lui demandait de quêter. Elle aimait ça, je pense: ma mère prétend qu'il y a des gens pour qui c'est un sport authentique.

Le mot *authentique*, frémissant et peu rassurant.

— C'est comme ça qu'elle connaissait beaucoup de monde ou bien autrement?

— Comme ça et autrement. Elle ne passait pas sa vie à quêter.

— Qu'est-ce qu'elle faisait, à part ça?

— Elle lisait, elle faisait partie de toutes sortes de clubs, elle suivait toutes sortes de cours, elle étudiait toutes sortes de langues.

— Bon. Alors les chocolats, ça peut venir de plusieurs personnes. Vous avez bien tout laissé en place, vous n'avez pas touché à quoi que ce soit ?

— J'ai touché son poignet...

— Oui, oui.

Un beau matin de fin d'août, un matin qui continuait d'être vert mais d'un vert de plus en plus lourd. Tout ce que j'avais à faire était fait et je n'avais pas le goût d'aller au bureau. Peut-être vers la fin de l'après-midi. Comme ça, pour leur annoncer la mort de ma mère. Comme ça, sans éclat, sans rien. C'est une chose personnelle qui m'arrive, pas une chose secrète, mais une chose qui me regarde.

Je marchais dans le parc Lafontaine, sans penser à rien qu'au vert qui tournait au vert des étangs en putréfaction, quand j'aperçus Anne-Marie qui venait me rejoindre.

— Qu'est-ce que tu fais là ?

— Je pleure la mort de ma mère. Je n'ai pas le goût d'aller au bureau. Je veux...

— Pleurer en paix ?

— On a beau dire qu'elle a beaucoup vécu, il reste qu'on se sent l'air bête.

— Pourquoi l'air bête ? Dis-tu bien ce que tu veux dire ?

— Je me sens stupéfié. C'est comme ça.

— De quoi est-elle morte ?

— Je ne sais pas. Ils doivent faire une autopsie.

— Le cœur peut-être.

— Peut-être.

— Tu as l'air stupéfié, c'est vrai. Gouin-Girouard voulait te voir. Il te cherchait partout.

— Où ça, partout?

— Il demandait à tout le monde où tu étais.

— Tu ne sais pas ce qu'il veut? Il n'a pourtant pas souvent envie de me voir.

— C'est à propos de l'affaire des incendies.

— Du nouveau?

— Une histoire de thermomètres. À force de questionner les locataires, ils ont trouvé une histoire assez louche en rapport avec les thermomètres extérieurs, une histoire pour le moins impossible à étouffer. Tous les locataires des maisons de rapport avaient reçu des thermomètres en cadeau: ça paraît cousu de fil blanc. Les thermomètres étaient piégés et le jet d'eau des pompiers faisait tout exploser.

— Ça paraît cousu de fil blanc, oui.

— Ça n'a pas l'air de t'étonner.

— J'étais au courant.

— Tu étais au courant et tu n'en avais pas parlé à Gouin-Girouard?

— Pourquoi le pousser sur une fausse piste?

— Comment peux-tu être sûr que c'est une fausse piste? Tu disais que c'était cousu de fil blanc.

— Justement: une fausse piste bien balisée. Techniquement, ils peuvent prouver quelque chose?

— Non. Tout a été détruit. Tout a été rasé, tu le sais. C'est quand même surprenant. Et les gens ont entendu des explosions en chaîne. Là, il n'y a pas de doute, on a des témoins très sûrs.

— Tout ce qui peut se mettre à exploser dans une vieille maison! On n'a pas besoin d'avoir des thermomètres extérieurs piégés pour provoquer des explosions en chaîne.

— Peut-être pas. Pourquoi es-tu tellement sûr que la cause n'est pas là? Ce serait tellement logique, ça concorderait tellement bien avec ce que disaient les locataires et les voisins.

— Les choses logiques, c'est l'équipe officielle de Gouin-Girouard que ça regarde, pas moi.

— Viens donc au bureau, Jean-Claude. Qu'est-ce que ça te donne de rester là, stupéfié. Il s'agit de Valérie, le sais-tu? C'est Valérie elle-même qui allait poser les thermomètres. Et avec un grand noir aux cheveux frisés qui semble bien être le neveu de Martin Martin. Ils seraient complices. À condition que l'affaire des thermomètres ne soit pas une fausse piste... On va le savoir. Il paraît qu'ils ont installé d'autres thermomètres récemment.

Gouin-Girouard avait l'air d'un don Juan complètement désabusé. Désormais dégoûté de son rôle de séducteur. L'œil bas et sans vie, il regardait Anne-Marie et Jean-Claude sans rien dire. Jean-Claude n'avait pas la moindre intention d'entamer la conversation. En baissant les yeux, il vit sa cravate rouge clair et se rendit compte qu'il avait encore le journal de Martin Martin sur lui.

— Tu as l'air souffrant, Jean-Claude. Moi, j'ai des raisons, mais toi?

— Ma mère est morte.

Sûr de son effet comme l'enfant dans le conte de Daudet qui annonce la mort du pape.

— Oh! Pardon! Mes condoléances, mes condoléances.

Il avait continué de dire des mots pour laisser passer un temps convenable avant de parler d'autre chose.

— Notre idée de génie est tombée à l'eau, paraît-il. Les thermomètres en question sont d'affreux thermomètres : massifs et laids, mais inoffensifs. À les voir, pourtant, on aurait pu jurer. On aurait dit qu'ils avaient été bâtis pour recevoir une charge d'explosifs. La charge d'explosifs n'était pas là. Rien du tout.

Anne-Marie se crut obligée de ressortir l'idée de l'eau.

— C'est pour donner le change : les autres étaient piégés.

— On ne pourra jamais le savoir maintenant. Et la jeune fille, Valérie Benoit a une réputation d'efficacité, de générosité, de noblesse d'âme. De sainteté même. Les gens qui ont eu affaire à elle sont tous d'accord : elle est parfaite. Aucun autre son de cloche. Je vous avoue que j'ai cherché un autre son de cloche, je pense que je l'aurais provoqué. Quelqu'un qui me dise du mal d'elle ! Personne.

— Tu l'as vue, elle, personnellement ?

— Je l'ai vue. Et je suis allé chez elle avant de savoir que les derniers thermomètres étaient inoffensifs. J'étais dangereux.

— Elle n'a pas témoigné contre elle-même ?

— Elle avait la bouche cousue.

— Si elle n'a rien à cacher, pourquoi avait-elle la bouche cousue ?

— J'ai eu l'impression très nette qu'elle voulait sauver le neveu de l'accusation de meurtre qui pèse contre lui.

— Tu n'allais pas la voir pour ça. Tu l'as laissée détourner la conversation? Ça ne t'a pas paru louche?

— Un peu, oui, elle revenait toujours à l'assassinat de Martin Martin. C'est le genre à vouloir sauver le monde. Intelligente avec ça. Vous la connaissez, je ne sais pas pourquoi je vous dis qu'elle est intelligente.

— Moi, je l'ai connue au collège: elle était brillante et stupide, les deux en même temps. Les deux faces d'une même médaille. Quand tu me dis qu'elle est bonne et généreuse et sainte, moi, je pense à un côté de la médaille. Cherche l'autre côté. Cherche l'égoïste, la mesquine, la dévoyée.

— Voyons donc!

— Quand elle est venue faire son petit numéro, l'autre jour, pour diriger les soupçons de la police sur le neveu, je l'ai trouvée odieuse.

— Moi aussi, et pourtant c'était son devoir civique de le faire.

— On aurait dit qu'elle assouvissait une vengeance. Avec son beau masque de marbre translucide et sa chevelure de ballerine russe, je l'ai trouvée équivoque. Quand tu dis qu'elle cherche à le sauver, je me dis qu'elle cherche à le perdre.

— Tu es jalouse d'elle, on dirait.

Anne-Marie avait à peine rougi, à peine souri. Elle regrettait de s'être laissée aller à son naturel. Le mot *naturel* pensé, il était pensé. Elle se défendait bien de se reprendre de quelque façon. Mais elle se jurait de se corriger de cette jalousie qui la prenait à tout moment.

— Ne tiens pas compte de ce que je t'ai dit, c'était une opinion comme ça, en passant. Au collège, on aimait le même professeur : je me suis mise à lui voir toutes sortes de défauts.

Gouin-Girouard revenait à Valérie.

— Elle veut sauver le neveu, tu ne peux pas en douter. Si tu l'entendais !

— Ici, pourtant, quand elle est venue...

Elle allait se laisser aller encore : elle s'était retenue à temps.

— Ce sur quoi on s'interroge, c'est sur la part d'héritage du neveu. Son oncle ne l'aurait pas complètement oublié.

— Il va avoir la surprise d'hériter d'une fortune et ça va lui nuire. On va se dire qu'il le savait.

— Au fond, on n'a pas de vraie preuve contre lui : à part le baromètre qu'il s'est fait voler, paraît-il, bien avant l'assassinat, on n'a rien contre lui.

6

JEAN-CLAUDE était face à face avec le neveu Martin : Gilles Martin alias Gilles Dorais.

— Quand vous m'avez parlé au téléphone, quand vous m'avez dit que vous étiez l'homme au rasoir, d'où m'appeliez-vous au juste ?

— Je ne vous ai jamais parlé au téléphone. Valérie était là quand je vous ai vu la première fois. Je n'avais jamais entendu parler de vous.

— Vous aimez jouer des tours au téléphone ?

— J'ai été interrogé par des dizaines de détectives de toutes les sortes : ils m'ont tous paru sains d'esprit. Qu'est-ce que vous me demandez là ? Ça n'a aucun rapport avec le crime en question.

— Vous détestez les femmes ?

— Je ne déteste pas les femmes, peu s'en faut. Au contraire, je suis très compréhensif, c'est le plus qu'on puisse dire.

— J'ai relu tout le dossier de l'homme au rasoir. C'est lourd.

— Posez-moi des questions qui ont un rapport avec le crime.

— Au téléphone, vous m'avez dit : « Je suis l'homme au rasoir. » Vous m'avez dit : « J'ai tailladé les jambes de douze femmes.» Savez-vous que l'une d'entre elles est morte? Elle a été traumatisée et elle est morte quelques semaines plus tard.

— Qu'est-ce qui vous prend de me raconter ces histoires sinistres?

— Les recherches n'ont pas cessé, le savez-vous? L'une des femmes est maintenant sortie de l'hôpital psychiatrique, la mémoire lui est complètement revenue et elle dit qu'elle reconnaîtrait à coup sûr l'homme au rasoir.

— À coup sûr? Elle est encore folle, puisqu'il est mort.

— Il est mort?

Il n'avait pas changé la façon précieuse qu'il avait de parler pour dire que la femme était encore folle, mais le naturel avait failli revenir, la voix avait un peu glissé sur une pensée glissante.

— J'ai lu dans les journaux qu'il était mort. C'est un peu vague mais il me semble même qu'on a trouvé une confession dans ses poches.

Jean-Claude n'avait rien répondu, il ne disait plus rien. Tout d'un coup, tout avait glissé dans l'insignifiance. Si j'avais un beau bois à travailler, si j'avais fait une belle armoire, une table lisse et longue, si j'avais fait des mes mains des centaines de beaux meubles, je ne me sentirais peut-être pas glisser dans l'insignifiance. Je me sens glisser dans l'inanité et tout autour de moi me semble incongru, inconvenant. Pourquoi inconvenant? Il est inconvenant, lui, devant moi, avec ses cheveux coupés droit sur le front, qui frisent un peu: comme un Romain du temps de Néron. Qu'est-ce qu'il a dans les yeux que je reconnais? Quelque chose. Tous les criminels que j'ai confondus avaient quelque chose de reconnaissable dans l'œil, quelque chose que je reconnaissais et, c'est le pire, quelque chose que j'aurais aimé mieux ne pas reconnaître.

Le téléphone sonnait, Jean-Claude le laissait sonner. L'autre commençait à avoir un tic dans les doigts. Toutes les secondes, le pouce et l'index se soulevaient, mais le geste en restait là. L'autre commençait à regarder Jean-Claude avec un air qui ressemblait à un air naturel.

— Répondez, s'il vous plaît. C'est agaçant.

— Oui. Oui, Anne-Marie. C'est curieux. L'équipe de Gouin-Girouard a commencé son enquête ? Merci, Anne-Marie. Je suis outré, comme tu peux le penser. Elle n'avait pourtant pas d'ennemis.

En le disant, il se dédisait : toute une galerie de portraits dans le mot *ennemis*.

— Ma mère a été empoisonnée.

Pourquoi se sentait-il obligé de le dire au neveu ? L'autre, un jour, lui avait fait des confidences au téléphone.

— Qu'est-ce qu'on disait ?

— On parlait d'autre chose que du crime dont je suis accusé.

— « Je suis légion. » Qui a dit ça ?

— Pas moi.

— Mais vous me disiez au téléphone que vous preniez à volonté l'accent que vous vouliez, le ton que vous vouliez, l'intonation que vous vouliez. Vous me disiez que votre prononciation prenait l'allure que vous vouliez bien lui donner. Vous me disiez que votre façon de vous exprimer n'avait rien à voir avec vous-même, que vous n'employiez même pas vos mots.

C'est de la maîtrise, ça : fouler en dehors de soi-même toutes sortes de routes sans jamais se recouper.

— Fouler !

Le ton avait eu quelque chose de méprisant.

— Pourquoi pas *fouler?* Ce n'est pas un de vos mots ? Comme déguisement, ce ne serait pas mal. Gardez-le dans vos coffres.

— Qu'est-ce que vous avez à faire dans l'enquête, au juste ?

— Vous ramener chez vous, peut-être : dans vos écuries.

— Les proverbes m'écœurent.

— Comment savez-vous que je fais allusion à un proverbe ?

— Le naturel revient au galop ! On n'a pas besoin d'être devin pour faire la relation.

— Ça suffit comme ça. Je sais ce que je voulais savoir.

— Qu'est-ce que vous pouvez savoir ?

— Vous voudriez que je vous fasse un rapport ?

— J'aimerais quand même savoir ce que vous avez inventé à mon sujet.

— Vous êtes bien l'homme au rasoir.

— Puisqu'il est mort !

— C'était un faux. C'est vous qui êtes le vrai.

Le faux Néron me regarde sans parler, sans sourire : aussi loin de lui-même qu'il est possible de se tenir.

— Faites-vous vraiment partie de l'équipe de monsieur Gouin-Girouard ?

— Votre oncle parlait en bien de monsieur Gouin-Girouard ?

— Mon oncle ne me parlait pas, vous le savez.

— Un peu, quand même : il se cachait pour faire le mal.

— Je n'aimais pas mon oncle, tout le monde le sait, je ne l'ai pas caché, je l'ai dit et redit. On ne se voyait jamais, on ne se parlait pas.

— Pourquoi vous avait-il donné le baromètre ?

— En souvenir de mon père. Fils prodigue, il a dilapidé sa fortune et sa vie. Il est mort quelques mois avant ma naissance. Mon oncle était sentimental, d'une sentimentalité écœurante.

— Il tenait à ce que tous les locataires soient bien sortis de ses maisons de rapport avant que le feu prenne. C'est ça que vous appelez : être d'une sentimentalité écœurante ?

— Il n'avait certainement rien à voir avec les incendies de ses maisons.

— Comment pouvez-vous en être sûr ?

— Il était riche à crever. Pourquoi aurait-il fait ça ?

— Peut-être parce qu'il aimait le feu. Parce qu'il aimait voir brûler les vieilles maisons. Il se rendait sur les lieux, paraît-il...

— Comme propriétaire, enfin, comme héritier de la succession Martin, il devait être prévenu.

— Et vous, comme pompier, vous étiez prévenu aussi. C'est bien d'un poste de pompier que vous m'avez téléphoné pour me dire que vous étiez l'homme au rasoir. J'ai entendu clairement sonner l'alarme. J'ai pensé que c'était un autre téléphone. Maintenant je sais que c'était l'alarme, un son étouffé : j'imagine que vous avez dû mettre un mouchoir sur le récepteur. Si vous pouviez m'assassiner sans danger de représailles, le feriez-vous ?

Une sorte de sourire galopant qu'il contrôle mal.

— C'est assez. J'en sais plus que je voulais en savoir.

— Vous êtes hors de propos.

— Vous croyez peut-être que je cherche à savoir qui a tué votre oncle?

— Vous le savez?

Un intérêt très vif qu'il ne contrôle plus du tout.

— Dites-le. Qui a tué mon oncle? C'est de ça qu'il s'agit, de rien d'autre.

— L'enquête relève directement de l'équipe de Gouin-Girouard. Moi, je m'occupe de l'enquête sur les incendies des maisons de rapport de l'avenue du Pacifique. Gouin-Girouard ne m'a pas demandé de m'occuper de l'affaire de l'assassinat de votre oncle. C'était son ami, il veut trouver le meurtrier lui-même. Vous êtes entre ses mains. Vous n'avez pas l'air à votre aise.

— On dirait que les preuves sont contre moi. C'est incompréhensible.

— On signe tout ce qu'on fait, tout ce qu'on dit.

— Votre théorie est fausse, je n'ai pas tué mon oncle.

— Il y a des signatures qui glissent d'une toile à l'autre. Tout le monde n'y voit que du feu. On retrouve la signature de l'homme au rasoir sur les os calcinés d'un philanthrope.

Il tremble un peu mais il lui vient une moue méchante. Gouin-Girouard était entré avec deux policiers. Ils venaient chercher le neveu.

Gouin-Girouard prenait des poses, même avec moi. C'était plus fort que lui.

— Mon vieux...

Qu'est-ce qu'il allait me dire que je ne savais pas?

— Ta mère a été empoisonnée.

— Anne-Marie me l'a dit.

— On a sans doute injecté le poison dans l'un des chocolats.

— Oui.

— Mais qui a pu faire ça ?

— Martin Martin.

— Tu déraisonnes ? Il aurait empoisonné une vieille femme inoffensive.

— Peut-être pas inoffensive...

— Ta mère n'était pas une femme inoffensive ?

— Disons qu'elle était curieuse. Si elle aimait tant quêter, c'est que ça lui permettait d'aller voir chez les gens. Elle était incroyable : tout ce qu'elle pouvait rapporter !

— Elle volait ?

— Elle ne volait pas dans ce sens-là. Voler des secrets d'état, appelles-tu ça du vol ?

— Oui.

— Ce n'étaient pas des secrets d'état, c'étaient des secrets quand même. Elle faisait une collection de secrets personnels.

— Elle ne faisait tout de même pas de chantage ?

— Non. C'était une manie. Purement et simplement.

— Une manie offensive.

— Prenons une bombe qui saurait ce qu'elle fait : une bombe qui n'a pas l'intention d'exploser. Dirais-tu qu'elle est inoffensive ? Elle se contentait de jouir de ce qu'elle savait. Elle n'en parlait pas. Presque pas.

— À toi, elle en parlait.

— Rien qu'à moi. Elle me montrait quelques pièces de sa collection. Les secrets les plus graves, elle n'en parlait à personne, je le sais, mais il reste qu'elle les connaissait.

— Dis-moi quelques petites choses qu'elle t'a confiées.

— J'oubliais à mesure... Une femme à portée de son oreille avait téléphoné à l'évêché pour parler de ses filles dévoyées: seize et dix-sept ans et aucune notion de ce que pouvait être cette chose appelée morale. La femme avait demandé à l'évêché si quelqu'un ne pouvait pas donner à ses deux filles des cours accélérés de morale. Ma mère riait aux larmes en me racontant ça et moi aussi, je riais. Mais à la longue je m'étais dit qu'elle savait beaucoup de choses. Elle n'avait l'air de rien, mais je peux comprendre que quelqu'un ait pu se méfier d'elle. Elle voyait tout, entendait tout. Et elle quêtait partout, dans les bureaux, les usines, partout. Je sais qu'elle voyait Martin Martin. Il la recevait toujours, je ne sais trop par quel accès d'abnégation. Il a dû craindre que la bombe explose: il n'a pas pris le risque, il l'a désamorcée. C'est lui, ne cherche pas ailleurs.

— Mais lui, qui l'a tué, lui?

— Le baromètre piégé.

— Ça t'a froissé que je ne t'aie pas demandé de t'en occuper?

— Je ne suis pas froissé.

— Dis-moi quand même ce que tu en penses. Tu as pu tirer quelque chose du neveu?

— Le neveu, c'est l'homme au rasoir.

Gouin-Girouard avait bondi: tout le naturel revenu d'un seul coup.

— C'est une vieille histoire enterrée.

— Comme tu dis: on a enterré quelqu'un avec sa confession d'homme au rasoir sur le cœur.

— Tout était d'une clarté éblouissante: un malade évadé du pénitencier qui se pique de littérature et sur qui on retrouve une confession très claire, très élaborée. Qu'est-ce que tu veux demander de plus indubitable?

— On dirait que je suis fatigué. Tout d'un coup, je ressens une grande fatigue.

— Mon pauvre vieux... Il faut que tu voies à tes malheurs personnels. C'est vrai. Je te laisse aller. Tu as beaucoup de famille?

— Non, pas beaucoup, peu s'en faut.

— Peu s'en faut?

— C'est comme tu dis.

Gouin-Girouard s'était laissé aller à jurer tout bas, il s'était laissé aller à ne plus prendre aucune pose. Bon Dieu de fatigant! Je n'ai pas connu sa mère, mais si sa mère lui ressemblait, je comprends Martin Martin de lui avoir donné des chocolats. La seule chose que je ne lui pardonne pas, c'est de lui avoir envoyé ça dans une boîte de ma collection: la collection qu'il me lègue par testament. Selon notre entente secrète. J'ai hâte de l'avoir, de la tenir en main. Enfin ma collection dans mes mains. Toutes ces belles choses à moi: des choses précieuses, anciennes. Enfin. Si mon équipe peut en arriver à une certitude. Qu'il ait tué son oncle ou non, il mérite la prison, si quelqu'un le sait, c'est bien moi. Si mon équipe peut en arriver à une certitude au plus vite. Que j'entre en possession de ma collection! Et si l'exécuteur testamentaire peut revenir de Chine!

Anne-Marie venait lui porter deux lettres importantes à signer.

— Je sais que tu es fatigué.

— Oui. C'est lui, Jean-Claude. Il est irritant.

— En un sens, il est irritant.

— Dans tous les sens. Il est comme la poussière en suspension dans l'air: celle qu'on ne voit que dans le rayon de soleil. On se sent les yeux irrités, les oreilles exaspérées, le nez... Veux-tu que je continue?

— Ne te fatigue pas, je sais.

— Et pourtant, tu n'as pas de problèmes avec lui, toi. Tu t'entends bien avec lui.

— Il y a longtemps que je le connais. La fièvre des foins disparaît après sept ans.

— J'ai atteint un paroxysme tout à l'heure.

— Vous parliez des incendies?

— Il me parlait du neveu de Martin Martin. Bon Dieu qu'il est fagitant!

— Par contre, il a le don de trouver ce qu'il faut trouver.

Gouin-Girouard s'était senti obligé de regarder par la fenêtre, vers la rue où les lampadaires s'allumaient.

— C'est la fin d'août déjà. Je voudrais que l'affaire de Martin Martin se règle au plus vite.

— Ton équipe n'en est pas arrivée à une certitude?

— C'est lui, c'est le neveu. C'est signé.

— C'est signé?

— C'est la dernière nouvelle: le nom du neveu est écrit à la pointe sèche dans un des coins du papier brun.

— Sur le papier d'emballage! Comment expliques-tu ça?

— Il a signé sans le vouloir, évidemment. Il se serait servi du papier comme sous-main pour signer autre chose et la trace de la signature serait restée.

— Tu dis : serait.

— La signature est restée.

— Tu as fait examiner la signature ?

— Les deux graphologues se contredisent, mais j'ai une confiance plus grande en celui qui dit que c'est bien la signature du neveu. On attend l'expertise d'un troisième.

— Le neveu continue de nier.

— Évidemment.

— Et toi, Gouin, qu'est-ce que tu en penses vraiment ?

— Je trouve que ça lui ressemble.

— Tu le connais bien ?

— Je le connais par Martin Martin. Il n'aimait pas son neveu mais il a quand même tout fait pour lui. Il a tout fait pour lui. C'est beau : il a tout fait ce qu'il aurait fait s'il l'avait aimé. La même chose.

— Tu es distrait : tu répètes la même phrase. On dirait que tu penses à autre chose.

— Il voyait très peu son neveu. En fait, il ne le voyait pas du tout.

Gouin-Girouard l'avait dit en hésitant comme s'il mentait.

— Il ne le voyait plus du tout depuis des années. Il le suivait de loin cependant.

— Il le suivait de haut.

— En un sens, tu as raison. Il le suivait de haut. Il y avait du mépris dans son attitude. Il faut bien avoir les défauts de ses qualités.

Elle riait de son rire égal, sans heurt, sans fausse note et Gouin-Girouard commençait à se sentir reposé, détendu.

— Je me retrouve quand tu es là, Anne-Marie. Je me retrouve intact, en quelque sorte.

— Qu'est-ce que ça veut dire?

— Jean-Claude me donne toujours une sensation confuse d'inéquation, de... comme s'il me rognait. Comme si je me retrouvais à la chair vive sur les bords.

— Il est comme ça. Par contre...

— Tu le défends toujours.

Jean-Claude était allé à la maison de sa mère voir un peu ce qu'il y avait à faire. Il avait trouvé trois lettres dans la boîte: il les mit dans sa poche sans les lire.

Dans la maison, il y avait des livres partout. Il passait ses doigts sur les reliures, s'arrêtait pour lire un titre. Derrière la collection de *la Pléiade*, toute une série de petits livres blancs sans nom d'auteur: une centaine de livres, tous pareils.

Pas de nom d'éditeur, pas de nom d'imprimeur, rien. *Ce que je sais de la solitude*.

L'odeur de sa mère encore partout: son savon, son eau de Cologne, son désodorisant et quoi encore. L'autre chose aussi: l'essence, évidemment, comme dirait Gouin-Girouard. Il passe son temps à dire *évidemment*, ces jours-ci.

J'ai envie d'être ailleurs. Ça me fait trembler de respirer son parfum: je ne crois quand même pas aux fantômes. J'ai lu un drôle d'auteur qui disait que ce n'étaient pas toutes les âmes qui étaient immortelles:

seulement quelques-unes. Les autres restaient à traîner à l'état de débris encore quelque temps après la mort et finissaient pas se fondre dans une sorte de courant d'âmes défaites en lambeaux.

Il avait ouvert l'un des petits livres blancs: «J'ai connu la solitude au milieu du monde. J'ai connu la vastitude de la solitude, la sensation de vent dans la tête que donne la solitude totale au milieu du monde. Le vertige que donne la solitude ressemble au vertige des grands espaces, au vertige des hautes altitudes. On se sent le lieu de passage de toute l'étendue.»

Et ça continue. Il tourne les pages sans presque les lire et un grand vent lui passe dans la tête, de grands frissons lui passent sur les flancs.

«J'ai connu une femme qui avait perdu son mari et tous ses enfants. Elle n'avait plus qu'un idiot à aimer, un idiot qu'on lui avait mis dans les bras alors qu'elle partait reconduire la mère à Saint-Jean-de-Dieu. Il n'apprenait rien mais elle continuait d'essayer quand même. Mot à mot, elle essayait de l'éveiller.»

Des portraits de femmes que la solitude avait envahies comme on dit que le désert envahit le Sahel.

«J'ai connu une femme qui s'était donné comme pénitence de quêter et quêter lui tournait le cœur. Elle s'était juré de sourire et sourire lui déchirait la bouche. Jour après jour, elle partait pleine d'allégresse et l'allégresse lui tendait les poumons jusqu'à la trans-lucidité. Elle voulait donner l'impression qu'elle aimait quêter et elle réussissait. Jusqu'à l'ironie, elle réussissait. Elle réussissait jusque dans les racontars qu'elle recueillait. Elle faisait semblant d'en jouir, elle se forçait à en jouir vraiment, à jouir des airs méprisants, des rejets de toutes sortes qu'elle ramassait en même temps que les dons et le mot *don* en arrivait à changer de sens. J'ai connu cette pénitente. Elle écoutait tout avec avidité. Tout ce qu'on lui racontait. Comme si c'était beau, comme si c'était intéressant. Au hasard des quêtes, elle disait ce qu'ils avaient besoin d'entendre, à ceux qui lui posaient des questions. Sans en avoir l'air. J'ai vu cette pénitente dans le miroir certains soirs : tellement seule après avoir vu tant de monde, tellement déjetée qu'elle serait morte si je ne l'avais pas retenue de mourir. Rien n'est fait encore et la pénitente est loin d'être prête à mourir. Il lui reste à changer sa tristesse en joie et quand elle se regarde dans le miroir, le soir de ses longues journées de quête, elle se dit qu'elle est loin d'être prête à mourir encore. La pénitente a un fils qui, par amour, est venu la rejoindre dans la noirceur, dans la solitude. Et c'est pire. La solitude est plus noire de le savoir là, avec elle. Elle accepte mieux sa solitude que celle de son fils. Et pourtant, elle lui a fait signe un jour de venir la rejoindre. Comme la femme écarlate de toutes les magies, elle lui a fait le signe fatidique. Viens dans mes bras. La solitude amplifiée jusqu'à la surdité maintenant qu'ils sont deux à la ressentir ensemble. La femme en rouge s'est donné comme pénitence de quêter jusqu'à la joie et la joie est longue à venir. Comme on cherche sans trouver, elle passe de porte en porte, elle écoute et elle parle. Il lui arrive d'écouter si longtemps qu'elle en déparlerait. Après le départ de son fils, il lui arrive de rester longtemps à penser. À penser au mot *joie*, à la définition du mot *joie*, comme si la définition précise du mot pouvait lui apporter la chose. Et la répétition amenait le goût, amenait l'image, amenait l'idée de la joie. Et parfois, au cœur de la nuit, il lui arrivait d'éprouver la joie, il lui arrivait de connaître la joie. Et la joie ensuite s'étendait partout. Si elle a connu la solitude, elle a connu aussi le vertige que donne la joie. Et la joie aussi passe par la tête comme un vent de grands espaces. Certaines nuits, je ne savais plus la différence entre la solitude et la joie. »

Jean-Claude avait replacé le petit livre avec les autres. Le titre aux lettres longues et rouges. Le rouge l'avait surpris d'abord pour un tel titre : *ce que je sais de la solitude*.

Il n'avait plus ouvert le journal personnel de Martin Martin depuis le matin de la mort de sa mère, mais aujourd'hui il se promettait de chercher ce qu'il disait de sa mère, si jamais il en parlait. Qu'il lui ait envoyé les chocolats ne m'entre pas dans la tête. La boîte lui appartenait.

C'est peut-être Valérie qui a décidé de régler tous ses comptes. L'idée l'avait frappé aux yeux comme un coup de sang : une idée rouge et il se rendait compte qu'il avait les flancs plus sensibles que jamais. L'idée rouge lui était descendue jusqu'aux flancs.

Jean-Claude revenait à pied au cœur de la nuit. Elle aussi ! Elle réussissait, elle aussi. Au cœur de la nuit, il lui arrivait de connaître la joie. Joie difficile. Il faudrait pouvoir la tenir, la retenir quand elle vient au cœur de la nuit, après une longue journée de quête. Nos dimanches à jouer nos rôles de mère déçue et de fils hargneux et ensuite, au cœur de la nuit, cette joie qui nous venait à tous les deux, peut-être en même temps. On pense connaître quelqu'un, on pense pouvoir le reconnaître à ses gestes, à ses paroles : on se rend compte qu'on ne savait presque rien de lui et qu'il aurait pu signer cent fois et rester incognito.

Je devrais être triste : je ne suis pas triste. La joie me vient encore une fois. En pleine nuit elle me vient encore, quand il commence à pleuvoir et que je n'ai pas de raison de me réjouir. La joie me vient enfin comme s'il avait fallu reculer longtemps dans la perfection pour enfin avancer d'un pas égal. Il faut prendre de loin un grand élan, faire de très bas un grand lancer. Reculer au fond de la tristesse pour mieux sauter.

Ses quêtes à elle comme autant de reculs au fond de l'ignominie. Et moi qui pensais à elle comme à une fouine ironique, comme à une commère éhontée ! Qu'on sait donc peu de chose de ceux qu'on aime ! Qu'on doit savoir peu de chose de ceux qu'on n'aime pas... Honni soit qui mal y pense. Mais on peut dire aussi : « Honni soit qui bien y pense », et je connais une sainte qui s'est vengée hardiment. Je ne sais pas pourquoi je dis *hardiment*. Valérie que j'aimais... Que pourtant j'aimais. Valérie généreuse, capable d'aider ceux qui ont besoin d'aide. Généreuse longtemps, tous les jours pendant des années. Valérie qui ne pensait pas mal ; Béni soit qui bien y pense. Mais un jour, elle s'est aperçue que Martin Martin l'avait trompée : trompée affreusement. Les thermomètres que les locataires démunis avaient été si contents de recevoir, qu'elle avait posés elle-même, comme ça, pour le plaisir de faire quelque chose de ses mains, les thermomètres étaient piégés, le don était tout le contraire d'un don. Elle a compris tout d'un coup qu'il s'était servi d'elle, de sa générosité, de sa confiance aveugle, de sa reconnaissance, pour ses fins mauvaises. Elle a dû comprendre ça tout d'un coup: il s'était servi d'elle comme d'un instrument, comme d'un piège. Même les étreintes avaient servi: elle a compris ça. C'est là qu'elle a décidé et tout d'un coup, comme on fait volte-face, de se retourner contre lui: l'instrument qu'il pensait prêt à servir à ses fins lui saute au visage. C'était une sorte de baromètre piégé. Et ce baromètre devait avoir, à peu de chose près, la force explosive des derniers thermomètres piégés qu'il lui avait donnés.

La nuit où je suis allé la voir, elle jouissait de cette paix qui vient des choses faites, des choses qui devaient être faites. Et pourtant elle a dû l'aimer: il a fallu qu'elle l'aime. Un amour indu, elle s'en est rendu compte. Son amour coupé désormais, comme on parle de fleurs coupées. Le coup de ciseaux était donné quand elle a compris qu'il l'avait trompée: c'était une question de jours.

Une pluie fine encore. Il avait fait un détour pour marcher dans le parc Lafontaine. Il venait de se souvenir qu'il était allé chez sa mère en voiture. Qu'importe! Partout des odeurs d'herbe, des bruits de feuilles mouillées, des visions d'auréoles pour les lampadaires. La joie avait poussé une longue pointe par laquelle l'esprit atteignait à une perfection très grande. Du moins, il se le dit.

L'air à l'intérieur était humide, usé. Il ouvrit la fenêtre de sa chambre à pleine grandeur: la pluie entrait un peu de même que les odeurs mêlées de la ville. Les trois lettres adressées à sa mère, à la vivante qui s'était appelée madame Madeleine Miron. Un petit voisin se moquait d'elle quand il la voyait, à cause de tous ces *m* dans son nom. Il avait eu envie de jeter les lettres sans les lire.

« Chère Madeleine. Merci de m'avoir sauvé la vie. Tu as su me dire ce que j'avais besoin d'entendre. J'étais si seule quand tu as sonné à ma porte que je t'ai prise pour une envoyée de Dieu. Je venais de blasphémer et de dire à Dieu de se montrer s'il existait. Je venais de dire, *existait*, et toi, à l'instant, tu sonnais. Tu quêtais pour les handicapés. Tu quêtais, Madeleine, maintenant que je me répète la phrase que tu m'as dite en entrant, je me dis que tu étais vraiment une envoyée de Dieu. Tu as su en entrant, tu as su tout de suite tout ce qu'il y avait à savoir de moi. Je parlais comme on en vient à parler quand personne ne nous écoute plus depuis des années et toi, tu m'écoutais. Tu m'écoutais et moi, je savais que tu comprenais ce que je voulais dire. Tu m'as dit la seule chose qu'il fallait que je sache, tu m'as dit: « Ce n'est pas vrai que tu n'as personne au monde. Tu es là, toi, tu es là, tu t'oublies. Sois ta meilleure amie. Serre-toi dans tes bras, et dis-toi: « Je suis là, je suis là.» Ne t'inquiète pas si ça sonne curieux. Répète-le.» Et je me suis prise en main, Madeleine, je me suis aimée, je me suis soignée, bercée. Je me suis montré toutes sortes de choses. Par moments, je prononce encore le mot solitude, par moments, je dis encore « vastitude de la solitude», comme la femme du livre que tu m'as donné: *ce que je sais de la solitude*. Je l'ai lu et relu ce livre-là. Je trouve que la femme qui s'est donné comme pénitence de quêter te ressemble. L'auteur a dû te connaître ou connaître quelqu'un qui te ressemble. Mais d'un autre côté, j'ai peine à croire que tu souffrirais de solitude à ce point-là.

Tu m'aurais guérie et tu ne saurais pas te guérir toi-même?. Heureusement que de temps en temps, au cœur de la nuit, tu ressens une grande joie. Tu dois te prendre dans tes bras et te dire: «Je suis là.» Je t'embrasse, grande quêteuse devant l'Éternel. Marie-Jeanne.»

Le jour allait se lever. Il ne pleuvait plus. La fenêtre donnait à l'est et la joie continuait de faire de grandes pointes. Il me semble que la joie m'a toujours fait comprendre quelque chose. Ou bien la joie me venait quand j'avais enfin compris quelque chose. On est long à comprendre, je sais ça. C'est toujours *enfin* qu'on comprend.

La sonnerie du téléphone. Envahissante. Il avait un peu attendu avant de répondre. Des vrilles dans l'oreille. Qu'est-ce que je vais encore me mettre à comprendre?

— C'est moi.

Gouin-Girouard était encore plus nerveux que d'habitude. Et il n'avait que des choses déplaisantes à dire avec une si belle voix.

— Il s'est évadé. Le neveu, évidemment.

— Tu penses le rattraper?

— On n'a aucune piste: il nous a filé entre les doigts comme un être immatériel.

— Où le cherches-tu?

— Partout et nulle part. Je voulais te demander si tu n'as pas une idée où il peut être.

— Je sais qu'il est dangereux, ça, je le sais.

— Pour qui? Qui est en danger? Ça nous donnerait une indication de savoir ça.

— Je ne sais pas.

Valérie est en danger. Il a eu le temps de comprendre, lui aussi. De comprendre enfin qu'elle a signé l'assassinat à sa place. Il n'osera pas. Il sait que je sais. On ne sait jamais.

— Si tu n'as pas une seule idée, je t'ai appelé pour rien.

— Non, pas pour rien.

— Tu as une idée que tu veux garder pour toi?

— Rien de probant.

— Je ne m'attendais à rien de probant en t'appelant non plus. Dis-mois ton improbable.

— Ça se dit mal.

— Force-toi.

— Je pense qu'il en veut à Valérie Benoit. Il sait qu'elle nous a rendu visite.

— J'y avais pensé: la maison est surveillée. En fait, tout le quartier est surveillé. Autre chose, je ne voudrais pas que tu parles à qui que ce soit de ce que tu m'as dit: des vues de l'esprit, mais ça peut semer la panique quand même.

— Retrouve-le, c'est un homme dangereux à laisser courir.

— Évidemment. Il est accusé de meurtre.

— Il est surtout l'autre chose.

— Mais non. On va le rattraper. Attends un peu. Reste là.

Jean-Claude attendait. La belle voix s'éraillait un peu plus loin, se brisait.

— Jean-Claude! Viens au bureau. Je ne sais vraiment pas ce que tu vas pouvoir faire, mais viens quand même, viens vite.

Penser. Il faudrait s'asseoir et penser. Où l'homme au rasoir va-t-il aller? Il a voulu retracer la femme qui jurait qu'elle le reconnaîtrait. Il s'est peut-être souvenu d'elle entre toutes. J'ai peut-être dit quelque chose d'elle qui l'a mis sur la piste de celle-là et d'aucune autre. Elle n'a pas voulu croire à la mort de l'homme au rasoir, elle. Depuis qu'elle est sortie de l'hôpital, elle le cherche. Elle le cherche dans tous les visages d'hommes qu'elle rencontre, sous toutes les lunettes, toutes les moustaches, toutes les barbes. Elle s'est juré qu'un jour elle le montrerait du doigt: c'est lui. Au petit jour, elle est sortie pour se rendre à son travail. Elle commence tôt et le trajet est long. Il l'attendait. Elle a voulu le montrer du doigt, crier: «C'est lui», elle n'a pas pu. Elle n'a pu que se taire sous la main qui lui tordait le cou.

Jean-Claude marchait vite et le parc était plein d'oiseaux. On dirait qu'il y a de nouvelles sortes d'oiseaux cette année. Ou bien je ne les entendais pas les autres années. On est long à entendre aussi.

Il ne pouvait pas entrer dans le bureau de Gouin-Girouard, il ne savait trop pourquoi. Que serait-il allé faire là d'ailleurs? Anne-Marie avait des gestes vifs, précis pour faire ce qu'elle avait à faire.

— Assieds-toi. Ne marche pas de long en large. De toute façon, tu n'as pas de chance de battre le record de Gouin-Girouard.

Jean-Claude se forçait à penser au neveu Martin. Où peut-il être? Où peut se cacher l'homme au rasoir? Si j'étais l'homme au rasoir...? L'idée lui était venue tout naturellement: je suis dans la maison de mon oncle. Il est peut-être bien chez son oncle. Mais la maison est surveillée. Évidemment. Il avait dit *évidemment* tout haut. Et Anne-Marie avait ri.

— C'est pourtant assez tragique. Et je ris. J'ai fini de taper ça, je vais te dire les dernières nouvelles: il a assassiné une femme, du moins on pense que c'est lui. Le chauffeur d'autobus l'a vu lui briser le cou et s'enfuir. C'était une femme aux mollets tailladés : une ancienne victime de feu l'homme au rasoir.

— C'est bien ce que je pensais.

— Il avait une chance sur un million de tuer une des victimes de l'homme au rasoir et toi tu dis : « C'est bien ce que je pensais. »

— Je le savais à peu de chose près.

Anne-Marie répondait au téléphone.

— C'est pour toi, Jean-Claude.

— C'est lui. Ça me dit que c'est lui.

— Allô ! J'écoute, je vous écoute.

— C'est ça. Ecoute attentivement. J'ai fini de te vouvoyer. Écoute bien ce que je vais te dire. J'ai réussi à entrer chez Valérie. Elle est là, en face de moi, ligotée, la gorge offerte. Je veux ta parole, rien que ta parole que tu vas dire la vérité dans l'affaire de la mort de mon oncle. Ce que j'ai fait, je l'ai fait, mais je n'ai pas tué mon oncle. Si tu me donnes ta parole de le dire immédiatement à Gouin-Girouard, j'épargne la vie de Valérie. Autrement, je lui tranche la gorge d'un seul coup. Je n'aurai pas de pitié, peu s'en faut.

On s'affairait à retracer l'appel. C'est plus long qu'on pense. Anne-Marie lui faisait signe de le retenir.

— Je t'ai dit où j'étais. Dis-leur de ne pas se fatiguer à retracer l'appel. Puisque je t'ai dit que j'étais chez Valérie.

Il avait raccroché. Trop tôt. On n'avait pas eu le temps de savoir si, oui ou non, il était chez Valérie. Personne ne répondait chez Valérie et on ne l'avait pas vue sortir. Elle ne devait pas sortir. Ceux qui surveillaient la maison la savaient chez elle. Ils le juraient. Elle ne répondait ni à la porte ni au téléphone. Gouin-Girouard hésitait quand même à faire enfoncer la porte.

— Il est peut-être vraiment là. Qu'est-ce que tu en penses, Jean-Claude?

— Elle doit dormir. Elle dort très profondément quand elle est fatiguée. Pourquoi faire enfoncer? Le concierge doit avoir une clé. Si tu veux prendre le risque, fais ouvrir la porte par le concierge.

— Penses-tu qu'il peut être chez Valérie?

— Non, je ne pense pas. Elle a une belle horloge grand-père dans le hall d'entrée près du téléphone. Je l'aurais entendue. On l'entend à l'autre bout de la ligne. D'habitude, on l'entend. Il était ailleurs. Laissez-la donc dormir.

— Qu'est-ce qu'il voulait que tu me dises exactement?

— Tu as écouté la conversation?

— Évidemment.

— Alors tu le sais.

— Qu'est-ce qu'il appelait *la vérité?*

— Il dit qu'on a signé le crime à sa place.

— Tu penses que c'est vrai?

— Tu as la meilleure équipe d'Amérique du Nord.

— Mais toi, tu penses que c'est vrai?

— C'est possible, c'est bien possible. Ou bien c'est sa signature qui a glissé d'un crime à l'autre.

— On ne peut pas le condamner pour un crime qu'il n'a pas commis, même s'il en avait commis d'autres.

— Évidemment.

C'est Jean-Claude qui avait dit *évidemment* et Gouin-Girouard s'était senti couper l'herbe sous le pied.

Anne-Marie se demandait ce que Jean-Claude était en train de faire au juste. Il mêlait les cartes, on aurait bien dit qu'il mêlait les cartes, qu'il les brouillait pour autant que ça puisse se faire : brouiller des cartes.

— Si je ris, c'est que je suis fatiguée. Gouin-Girouard ne se gêne pas pour me faire lever aux petites heures. Même s'il n'y a rien à faire... Il veut que je sois là avec lui. Les affaires de ta mère, ça ne te causera pas trop d'ennuis ?

— Non. Mais elle faisait le bien, je ne l'aurais pas cru. Elle se cachait pour faire le bien. Elle aussi.

— Faire le bien m'a toujours paru une expression péjorative et abstraite aussi.

— Faire le mal, ça te paraît moins abstrait ?

— Beaucoup moins.

— Elle était curieuse des gens. La curiosité est ambiguë : défaut ou qualité.

— Vice ou vertu.

— Elle les écoutait avec avidité.

— Concupiscence ?

— Ensuite, elle les conseillait.

— Conseillait ! Et ils se laissaient conseiller ?

— Ceux qui lui écrivent semblent croire qu'elle les a sauvés.

— De quoi ?

— Je ne sais pas trop. Sauvés tout court. Le salut existe tel quel.

Leur conversation entrecoupée de téléphones, de notes, de courses : Anne-Marie continuait d'avoir les gestes vifs et précis mais l'indifférence commençait à pointer. Dix heures déjà et elle n'avait même pas pris de café.

— Fais mon salut, Jean. Fais du café.

Gouin-Girouard était entré en soupirant.

— Du café! Enfin! Tu avais raison, Jean-Claude. J'ai fait ouvrir: elle dormait. Elle nous a dit qu'il lui arrivait de dormir très profondément. C'est du bon café. C'est rare.

Anne-Marie se retenait de rire. Elle pensait à la mère Miron qui opérait le salut du monde. Sa phrase intérieure la chatouillait: elle opérait le salut du monde. Tout ce qu'on peut faire sans trop se rendre compte de ce qu'on fait.

— Le neveu nous a bel et bien échappé. Aucune piste, rien. Écoute, Jean-Claude.

— Toi aussi, tu veux que j'écoute.

— Tu vas t'installer à ton appartement. Je vais faire surveiller le téléphone. Là, on va l'avoir. Je te promets que là, on va être prêt.

— Ça m'étonnerait qu'il m'appelle encore une fois.

— Qu'est-ce que tu suggères?

— Rien. Tu fais ce qu'il faut faire: tu mets toute ton équipe à sa recherche.

— Et toi?

— J'essaie de penser. Il m'a semblé qu'il pouvait être chez son oncle.

— On l'aurait vu.

— Il avait une maison de campagne?

— Oui. Surveillée aussi.

— Et le *bachelor* secret? Il est surveillé aussi?

— S'il avait un autre appartement quelque part, il n'est pas enregistré à son nom.

— Un lieu secret où les gens pouvaient le rencontrer incognito. Tout le monde se déguisait pour entrer là: lui, le premier. Tout le monde était quelqu'un d'autre.

— Comment savoir?

Valérie le connaît, elle, le lieu secret où elle a enfin compris ce qu'il y avait à comprendre, le lieu caché où elle a décidé tout d'un coup qu'elle le tuerait. Elle ne dira rien puisque personne ne peut savoir qu'elle sait. Personne.

— On ne peut pas savoir où est le lieu secret de Martin Martin mais le neveu y est. C'est déjà quelque chose. Il n'est pas au large vraiment puisqu'il est ancré. Il ne navigue plus, il est quelque part.

— C'est vrai. C'est quelque chose à savoir. Tu es bon à quelque chose quand même.

— Évidemment.

Il avait imité la voix de Gouin-Girouard si parfaitement qu'Anne-Marie aurait voulu se cacher pour rire.

7

LES POLICIERS qui surveillaient l'appartement de Valérie étaient distraits. Il fallait qu'ils soient distraits. Elle entrait et sortait quand elle voulait. Après trois jours de surveillance, ils s'étaient organisés une vie très agréable. Elle n'avait qu'à mettre sa perruque rousse et ils n'y voyaient que du feu. Elle se le disait: «Ils n'y voient que du feu». Et elle revoyait les maisons de l'avenue du Pacifique brûler par à-coups. Une explosion par thermomètre. Ça me brûle encore de m'être fait jouer à ce point-là. Jusqu'où on peut être joué. Jusqu'au bout. Comment peut-on être aveugle à ce point-là? On ne le sait pas: on continue de se le demander longtemps après. C'est comme si on avait été victime d'un ensorcellement.

Elle n'était pas retournée à son bureau de la Sécurité sociale. Elle avait téléphoné qu'elle prenait ses vacances et n'avait pas à donner d'explications gênantes.

Elle était revenue les cheveux mouillés sous sa perruque trop chaude. Les policiers fumaient, causaient et n'avaient pas fait attention à elle. La porte bien refermée, elle n'avait eu qu'un désir, comme l'autre jour, comme le jour de Martin Martin. Elle voulait se laver jusqu'au bout des cheveux, jusqu'aux yeux. C'est maintenant que je suis nette; ça prenait deux libations. C'est maintenant que les choses sont faites. Il fallait aller jusqu'au bout. C'est maintenant que je suis calme, assouvie. Elle se le disait mais quelque chose perçait toujours la surface lisse: elle continuait de le voir.

Elle faisait ses exercices de détente et ramenait la paix. Il va falloir que je m'explique ça: je suis comme un spécialiste des os qui toute sa vie aurait recollé des os. Toute sa vie. Elle appuyait, se voyait au bout d'une longue carrière de compétence et de dévouement: tous ces os collés. Aujourd'hui, j'ai le droit de casser des os, j'ai le droit. Le calme était reparti. La sonnerie du téléphone empirait encore ce qui s'était installé au lieu du calme. Si je ne réponds pas, ils vont venir ouvrir. C'est insupportable.

— Jean-Claude! J'aurais dû y penser!

— Je voulais avoir de tes nouvelles.

— J'ai beaucoup dormi, tu dois être au courant. C'est le début de mes vacances. Je dors une semaine franche.

— Tu as l'intention d'aller quelque part ensuite?

— Oui. Aux États-Unis.

— Ils te laisseront partir?

— Pourquoi pas?

— C'est dangereux de franchir la porte.

— Dangereux pour moi?

— Tu ne crains rien de personne?

— C'est ton idée de faire surveiller la maison?

— Le neveu de Martin Martin n'a pas de raison de t'en vouloir?

— Quelle raison pourrait-il bien avoir?

— Tu ne l'as pas vu depuis qu'il s'est évadé?

— Comment veux-tu que je l'aie vu?

— Tu n'es pas allée le voir?

— Où ça?

— Quelque part.

— J'ai dormi presque tout le temps. Tellement profondément que c'est incroyable. La maison aurait pris en feu que je ne m'en serais pas aperçue.

— C'est vrai que c'est incroyable: dormir si profondément.

— On ne sait pas trop ce que ça veut dire dans ta bouche.

Elle aurait voulu le tuer, lui aussi. Après s'être sacrifiée tant d'années, avoir le droit. Et lui, Jean-Claude entre tous. Elle le voyait au début de sa longue route d'abnégation: lui et sa mère.

Chaque fois qu'elle y repensait, elle se redonnait le droit de les avoir tués: tous tués. Le dernier meurtre passait mal. Pourquoi avait-il mis le pyjama de satin noir, le pyjama de l'aigle? Martin Martin aurait inventé autre chose après les thermomètres. Qu'est-ce qu'il aurait inventé? Il était puissant et j'ai aimé sa puissance. Je me suis laissée aller au plus affreux romantisme. J'étais dans les serres de l'aigle et je survolais le monde, je regardais le soleil. Les serres me faisaient mal, il était brutal, mais c'était un aigle et avec lui je survolais le monde, je le voyais de haut. Il aurait fallu que je sois bête tout le temps, romantique tout le temps. J'avais des moments de grande lucidité. Il n'aurait pas fallu. L'aigle avait décidé d'en finir avec mes lueurs, je l'ai senti. C'est moi qui l'ai eu. La première.

Jean-Claude le sait. Qu'est-ce qu'il sait au juste?
Il ne parlera pas, il ne dira rien. C'est grave pour lui,
mais il ne parlera pas. Il va attendre que j'en parle
moi-même. Il va frapper un nœud. Car moi, je m'en
vais en vacances et je jouis de mes vacances.

Fatiguée de m'être sacrifiée trop longtemps. Déjà
je suis en vacances : je suis entrée en vacances le jour
où j'ai fait ce que j'ai fait. L'aigle plumé jusqu'aux
os. Je me suis lavée, brossée et j'ai dormi. La robe
rouge et le pyjama de satin noir ensuite. J'ai fait
maison nette, maison propre.

J'ai compris que Jean-Claude ne dirait rien à
personne. C'est ce que j'ai cru comprendre. Si je
n'étais pas à court d'imagination, je le tuerais lui aussi.
J'ai d'autres images qui me viennent. Non. Jamais
plus. Fini le romantisme.

Jean-Claude aurait voulu trouver un moyen plus
sûr de dire à Valérie qu'il ne parlerait pas. Une
impossibilité de s'exprimer : trop de monde aux écoutes.

Le journal personnel de Martin Martin entre les
mains, il le soupesait. Combien d'années de la vie du
philanthrope? La première page avait été écrite il y a
trente-cinq ans. Il se mit à lire. On se croirait dans
Eugène Sue. Il a connu ma mère, connu au sens
biblique. Il en parle comme d'une sorte de démon.
On ne sait rien de ceux qui nous touchent de près,
on ne sait rien.

Ce que Martin Martin disait de lui-même ensuite
ressemblait plus au marquis de Sade qu'à Eugène
Sue. Il s'exerçait à la cruauté, à la froideur, à la
maîtrise de lui-même et des autres.

«Je m'enrichis. Je m'étais promis de m'enrichir, je m'enrichis. Plus je m'enrichis, plus je vois à ce que ma réputation soit bonne. C'est le grand sport: équilibrer ce que je gagne et ce que je donne. Ce que je donne ostensiblement et ce que je donne en secret: il y aura toujours quelqu'un pour jurer que je me cachais pour faire le bien.»

Jean-Claude lisait en diagonale: l'écriture changeait d'année en année. Quelque chose restait d'ambitieux dans les majuscules, quelque chose d'ambigu dans sa façon d'ouvrir les *o*.

«Vu Madeleine Miron avec son fils. Beaucoup regardé ce fils qu'elle eut sans me le dire; mais je le savais qu'elle l'aurait. Il a quelque chose de moi, l'ambition probablement: cet enfant n'aura de cesse qu'il n'ait conquis le monde. J'ai vu tout de suite qu'il avait compris beaucoup de choses: à la façon qu'il avait de me regarder et de regarder la façon qu'avait sa mère de me regarder. Elle m'a dit qu'il était brillant et qu'elle en ferait un grand avocat. Cet enfant-là ne fera jamais que ce qu'il aura envie de faire: il comprend trop de choses trop tôt. Il est brillant oui, mais comme certaines journées au bord de la mer: il est *cloudy bright*.»

Jean-Claude voyait grandir la fortune, la collection de pièces rares et la réputation de philanthrope-mécène de Martin Martin.

«J'ai tout ce que j'ai voulu. Je m'aperçois que mon ambition avait des limites: assez riche, assez bien vu, assez. Il me reste à mettre la main sur V.: la pièce rare qui me manque. Je l'aurai.»

Jean-Claude avait arraché la feuille et l'avait brûlée : comme ça, comme on se laisse aller à tuer quelqu'un. Il n'avait plus envie de rien lire.

Il faudrait peut-être faire disparaître ça. Il brûlait les feuilles une par une dans le grand cendrier sur pied. La flamme montait haut, aussi haut que l'ambition de Martin Martin.

Il relut la page où le philanthrope parlait de lui, et s'aperçut qu'il avait du plaisir à la relire. *Cloudy bright*, c'est bien trouvé. C'est quand même bien trouvé. N'aura de cesse qu'il n'ait conquis le monde. N'aura de cesse, n'aura de cesse. N'aura de repos, n'aura de répit.

Il avait brûlé toutes les autres pages, n'avait gardé que celle-là. Ne fera jamais que ce qu'il aura envie de faire. Il a compris trop de choses trop tôt.

Il se demandait ce qu'il avait bien pu comprendre ce jour-là. Aucun souvenir de cette rencontre. Ou bien c'était le jour où ma mère m'a embrassé en pleurant au retour de l'île Sainte-Hélène. Je me souviens qu'elle me regardait avec des yeux pleins de larmes et qu'elle me lissait les cheveux sur les tempes. J'étais ensuite allé me regarder dans le miroir de la salle de bains : j'avais, comme lui, les cheveux collés sur les tempes. Comme lui. L'image de Martin Martin dans le miroir, c'était bien lui, un Martin Martin plus jeune, plus beau. Et il le voyait comme il l'avait vu ce jour-là.

C'était bien lui. Il était blond, presque blond. Je me souviens que je m'étais ébouriffé les cheveux pour ne pas les avoir collés aux tempes, comme lui.

— Tu t'es dépeigné.

— Je lui ressemblais.

Je lui avais dit ça et elle avait sorti la seule bouteille de champagne qu'on ait jamais eue à la maison : un cadeau qu'elle avait reçu quelques mois avant ma naissance.

— Qui te l'a donnée ?

— Quelqu'un.

— Pourquoi ?

— Pour une raison cachée.

— Tu la mets au réfrigérateur ?

— Oui. Les deux flûtes aussi. On va fêter.

— Qu'est-ce qu'on va fêter ?

— Nous deux. Tu seras un grand avocat et je serai fière de toi.

— Si je ne suis pas un grand avocat ?

— Pourquoi pas ?

— Tu n'es pas un grand avocat, pourquoi moi ?

Chaque fois que j'ouvrais le réfrigérateur, je voyais la bouteille. Je la voyais. C'est par exprès que je l'ai cassée. Il m'avait semblé qu'elle avait les cheveux collés aux tempes.

— C'est dommage. Comment as-tu fait ton compte ?

— J'ai voulu la prendre pour voir si elle pesait.

— C'est dommage. Et c'est plein de verre partout. On ne pourra même pas y goûter.

— Je te ferai un cadeau plus tard. Pour une raison cachée.

— Quand tu seras reçu au barreau, tu m'achèteras une bouteille de champagne.

— Quand je ne serai pas reçu au barreau, je vais t'acheter une bouteille de vinaigre.

Je n'y ai plus repensé ensuite. Pas de bouteille de vinaigre. C'était assez d'amertume comme ça. On sait peu de chose de ceux qu'on aime.

Ceux qu'on aime! Il se mit à s'ennuyer d'elle, de ses repas du dimanche. Elle était déçue de moi. Moi, je lui disais qu'elle n'avait pas à être contente ou déçue. Elle a continué d'être déçue même si, à la longue, elle avait fini par se dire que j'avais fait ça par amour, pour la rejoindre dans l'obscur. La déception a duré jusqu'à la fin. On se dit ça, on ne sait pas : elle est peut-être morte au cœur de la joie. On ne devrait pas pouvoir mourir autrement. Ce serait la condition, le but atteint. Enfin la joie. Ce serait l'apothéose et on n'aurait désormais plus besoin de reculer pour sauter.

Elle a mangé le chocolat venant de lui.

En le disant, je sais que le chocolat ne venait pas de Martin Martin. Le chocolat venait de Valérie. De Valérie! C'est comme si je refusais de le savoir.

Martin Martin a dû me reconnaître quand je suis allé lui poser des questions. Il a dû reconnaître le nom. Il me dévisageait quand il me disait :

— J'ai mis le feu moi-même ?

— Quelqu'un l'a mis pour vous.

— Sans m'en parler alors.

À la fin de la conversation, l'imperturbable s'est monté : c'est toujours comme ça. Il suffit d'être un peu patient.

— C'est une preuve, bafouiller? C'est un aveu, bafouiller? J'ai vraiment fait un effort méritoire. Qu'est-ce qu'il a, Gouin-Girouard, à engager des gens de votre espèce?

Et il disait *peu s'en faut*, lui aussi. Comme son neveu. Le lieu de rendez-vous des incendiaires. La faute commune et on peut les prendre dans un grand lasso.

Il m'a reconnu. Je le sais maintenant. Je me demande s'il a été déçu lui aussi, lui qui disait de moi que je n'aurais de cesse que je n'aie conquis le monde. On peut se demander pourquoi certaines phrases nous touchent tant, pourquoi on les garde en mémoire longtemps sans pouvoir s'en rassasier vraiment... Moi qui ai renoncé à briller dans le monde, moi qui ai renoncé à la puissance, à toutes les puissances, pourquoi la phrase de Martin Martin me fait-elle plaisir à ce point? Pourquoi me le cacher: ça me fait plaisir qu'il ait dit ça de moi. Comme si j'avais eu, vraiment eu l'étoffe d'un grand homme. Les conquérants sont-ils de grands hommes? Il faudrait savoir ce qui me fait vraiment plaisir dans sa phrase: cet enfant n'aura de cesse qu'il n'ait conquis le monde. Ce n'est pas le mot conquis que j'aime, c'est autre chose qui me plaît. Je le prends peut-être dans le sens des doux qui posséderont la terre? Non. Ou bien dans le sens des savants qui finissent par comprendre quelque chose? Peut-être. C'est mieux et c'est pire: c'est autre chose. Si je m'avouais des choses plus ou moins vraies, je me dirais que je veux conquérir les âmes, conquérir l'amour des hommes et des femmes. En même temps que je le dis, je le nie. Je proteste et les gens qui m'aiment me mettent toujours mal à l'aise. Comme s'ils se trompaient, comme s'il y avait erreur sur la personne.

Ce que j'aime dans la phrase, c'est peut-être: cet enfant n'aura de cesse. Il n'y a pas de verbe *faire* dans la phrase, il n'y en a pas dans ma vie non plus. Ou si peu. Mais c'est vrai que je n'ai de cesse, c'est vrai. Je n'en finis pas de comprendre ce que je n'avais pas compris hier, je n'en finis pas de savoir qu'on ne sait jamais rien de ceux qu'on aime ni des autres non plus. Cet enfant n'aura de cesse. Ce famélique n'aura de cesse. Cet assoiffé n'aura de cesse. Ce curieux n'aura de cesse. Cet agent aux impondérables n'aura de cesse qu'il n'ait touché. Touché quoi? Je ne sais pas. Touché le monde. Compris? Je ne sais pas pourquoi la phrase de Martin Martin m'a fait tant plaisir quand je l'ai lue. Et *cloudy bright* m'a fait plaisir aussi, c'est bien trouvé: *cloudy bright*.

Des voisins s'étaient demandé ce qui se passait: des lamentations venaient de l'appartement. Ils avaient beau sonner, personne ne répondait.

— Il faut appeler la police.

— Moi, je ne veux pas être impliqué dans quoi que ce soit.

— Moi, je considère que ça ne me regarde pas.

— Il paraît qu'à New York, les gens peuvent voir un attentat de leurs propres yeux et ne rien faire pour aider la victime. Ils font le tour.

— Moi, je comprends ça.

— Les gens ont peur de tomber dans un règlement de comptes.

— C'est quand même effrayant d'entendre les lamentations. C'est au concierge de faire quelque chose.

Le concierge avait fini par appeler et Gouin-Girouard était content. Il attendait quelque chose comme ça.

— Vas-y Dufresne. C'est peut-être lui.

— On ne sait jamais. Je peux y aller. Si tu penses...

Dufresne ne voyait pas pourquoi il irait lui-même: un ivrogne qui cuve mal sa boisson, c'est quelqu'un d'autre que ça regardait.

— On pourrait peut-être laisser aller le policier de service.

— Vas-y toi-même. C'est peut-être lui.

Dufresne avait fait ouvrir la porte par le concierge: personne ne répondait et pourtant quelqu'un se lamentait.

Et c'était bien lui, c'était le neveu Martin. Étendu sur le lit dans un pyjama de soie noire. Comment pouvait-il vivre encore, se lamenter encore: Dufresne prit le temps de se le demander. Mais les yeux s'éteignaient, allaient s'éteindre.

— On dirait qu'il demande du papier pour écrire. Il n'a plus de voix mais il demande du papier, j'en suis sûr.

Dufresne avait trouvé un cahier ligné mais le neveu ne suivait pas les lignes: une écriture de biais sur des lignes droites. Il songeait au proverbe portugais: « Dieu écrit droit sur des lignes obliques. »

L'écriture était à peine lisible: « Le meurtre de mon oncle, c'était moi en fin de compte, c'était moi. »

— Il est mort.

— Oui. C'est étonnant qu'il ait pu écrire ça. C'est quand même étonnant.

Dufresne avait téléphoné à Gouin-Girouard pendant que d'autres s'occupaient du reste.

— Tu es bien sûr que c'est lui?

— Aucun doute, patron, c'est lui. L'appartement était au nom de Martin Miron.

— On dirait bien que tu as raison.

— Un bel appartement, tu devrais voir ça. Le concierge ne voulait pas croire que c'était un faux nom. Il a vu toutes sortes de papiers au nom de Martin Miron. C'est un appartement meublé avec raffinement, je dirais.

— Quelle sorte de raffinement?

— Ce qu'on appelle raffinement chez les gens ordinaires. Le raffinement *playboy:* tapis tunisien, tapisseries sur les murs, masques africains. Il y a même une armure dans un coin: toute ciselée, tu devrais voir ça.

Gouin-Girouard en voulait à Martin Martin d'avoir apporté l'armure dans cet appartement-là. C'est mon armure, elle fait partie de ma collection. Il va falloir la ramener avec les autres pièces. Ça m'ennuie que l'armure ait été là, je ne sais pas pourquoi, on dirait que ça me gêne. Mon armure, ma collection. Si l'exécuteur testamentaire peut revenir de Hong-Kong! On dirait que je ne suis pas sûr de l'avoir, on dirait que je me mets à me méfier de Martin Martin. Il me l'a promis mais je ne peux rien réclamer. Je n'ai aucune garantie. Il ne me laisserait rien du tout que je ne pourrais rien dire. Personne ne sait ce qu'il me doit, personne. Ce serait le comble: j'ai risqué ma carrière, je me suis compromis. S'il fallait que ça se répande, je serais déshonoré à tout jamais. Heureusement, personne ne le saura jamais: ce que j'ai fait n'a fait de mal à personne. À personne.

Des frissons jusqu'à la nuque: à personne. Dufresne était allé parler à ses assistants. Il revenait au téléphone.

— Il semble bien que personne n'ait rien vu d'anormal. Après une enquête rapide, soit dit en passant... Ce sont tous des gens qui travaillent.

— Le concierge n'a rien vu non plus?

— Rien. Personne jusqu'ici n'a rien vu. On n'a pas interrogé tout le monde. Le concierge dit que ce locataire voyageait beaucoup.

— Évidemment.

— Le neveu est en route pour la morgue. Je te rapporte la feuille d'aveu. On va pouvoir clore l'affaire.

— Comme tu dis.

— Il y a une chose : Richard a trouvé des lettres à entête Martin Martin.

— Évidemment.

— Comme tu dis. Il avait une vie secrète, le philanthrope.

— Évidemment.

— Il était un peu coureur, on dirait.

— Il tenait à garder sa réputation intacte. Tu comprendras que les gens comme lui vivent au vu et au su du monde. Ce n'est pas toujours facile.

— Compris patron. Te désâme pas à l'excuser.

Gouin-Girouard ne savait pas pourquoi il était si malheureux. Au fond, la mort du neveu Martin, c'est une délivrance pour moi. D'après ce que m'a dit Dufresne, c'est un suicide. Il a battu des paupières quand Dufresne lui a demandé si c'était un suicide. Qu'est-ce que j'ai à être si malheureux ?

Tout se réglait : le concierge avait reconnu Martin Martin sur la photo. C'était bien le même homme. À peu de chose près : le concierge avait tenu à le dire. Et le neveu s'était bel et bien suicidé : on avait conclu à un suicide. Le neveu avait signé le meurtre de son oncle : il l'avait signé de biais, mais il l'avait signé quand même. L'affaire des incendies criminels n'était pas réglée mais on en viendrait bien à penser que c'étaient des incendies naturels. L'empoisonnement de la mère de Jean-Claude restait là: la belle boîte de bois ciselé semblait bien une preuve que c'était Martin Martin qui avait fait le coup. Gouin-Girouard énumérait ses succès, les succès de son équipe. Fallait-il féliciter l'équipe? Il se sentait malheureux, comme s'il était pris dans un cirque. Il va falloir me faire une sortie à coup d'épée. Quelqu'un dans l'histoire a fait ça avant moi. On dirait un cirque, un vrai cirque.

Gouin-Girouard faisait du long en large dans son bureau. De temps en temps, il se répétait: «Tout se règle, tout va se régler.» Mais pourquoi Martin Martin aurait-il mis les chocolats dans une boîte reconnaissable? Peut-être parce que les chocolats n'étaient pas pour elle... Il a toujours aimé les chocolats, Martin Martin, je le sais, je le connais. C'étaient ses chocolats à lui. Elle est allée faire une quête quelconque et elle a volé la boîte de chocolats. Il a fallu que Martin Martin reçoive les chocolats de quelqu'un, les change de boîte pour le plaisir de voir la belle boîte sur son bureau. Il a fallu que la mère Miron les vole et les apporte chez elle. C'est plausible. Mais qui aurait envoyé les chocolats? N'importe qui. Il avait des ennemis.

Les jours passaient. Gouin-Girouard continuait d'avoir une grande sensation de malaise. J'ai peut-être peur de ne pas avoir ma collection. Si l'exécuteur testamentaire peut donc revenir de Hong-Kong!

En attendant, le commissaire signait les conclusions de son équipe, l'une des meilleures d'Amérique du Nord. Tout se réglait. Le chocolat empoisonné restait là. On aurait dit qu'on ne voulait pas accuser Martin Martin.

— On devrait peut-être conclure, Dufresne. Je pense qu'on peut conclure.

Il savait que Dufresne protesterait.

— L'histoire de la boîte ciselée est trop grosse. Martin Martin était trop intelligent pour faire une chose pareille.

— Qui?

— Le neveu. Il aura fait une première tentative infructueuse avec le chocolat, lequel aura été volé par la femme Miron. Ensuite, il aura envoyé le baromètre piégé, se rendant compte que son oncle avait jeté les chocolats à la poubelle.

Gouin-Girouard s'était senti refroidir de partout en écoutant les phrases contournées de Dufresne.

— C'est plausible, Dufresne. On peut conclure.

Tout allait être réglé dans quelques jours et Gouin-Girouard continuait d'être mal à l'aise. Qu'est-ce que j'ai? Comme si je savais qu'aucune de nos conclusions n'est la bonne. C'est assez logique pourtant. Le seul qui sait ce qui s'est passé, c'est Jean-Claude et il ne dit rien. Il fait celui qui ne sait rien non plus. Curieux que Martin Martin se soit servi du nom Miron comme pseudonyme pour louer l'appartement secret...

Anne-Marie sortait tous les soirs: elle faisait l'inventaire de ses amis. Elle sentait le besoin de les rassembler autour d'elle, de s'étayer de partout. Le matin, elle retrouvait Gouin-Girouard en train de s'adonner au long en large.

— Pourquoi es-tu si nerveux, Gouin? Tout est réglé. Il reste la succession Martin Martin. Tu t'attends à quoi?

— C'était mon meilleur ami, tu le sais. Il m'a promis que la collection de pièces rares était à moi.

— Tu fais une drôle de phrase.

— C'est aujourd'hui que l'exécuteur testamentaire arrive de Chine. Enfin, de Hong-Kong.

— Tu vas cesser de marcher de long en large?

— Ça m'aide à réfléchir. Ça t'ennuie tant que ça?

— Non. Au fond, c'est comme un baromètre: je sais où tu en es en voyant ta façon de marcher de long en large.

— Un baromètre?

— Ou un thermomètre.

— Curieux ces thermomètres que Martin Martin donnait comme ça.

— Curieux, oui. C'est un cadeau comme un autre, je suppose. Les gens aiment savoir le temps qu'il fait dehors avant de sortir.

— Tout est réglé et je me sens comme si rien n'était réglé. Jean-Claude, qu'est-ce qu'il en dit?

— On dirait qu'il est dépassé.

— Ça fait beaucoup de choses. On dit ça et c'est encore peu. Sais-tu à quoi ça me fait penser? Au touriste qui visitait la Gaspésie et qui voulait dire quelque chose à la petite fille de la place: «C'est à toi, toute cette eau-là?» «Oui, pis là, vous voyez rien que le dessus.» Rien que le dessus: c'est tout ce qu'on a vu.

L'exécuteur testamentaire était là: il semblait bien que tous ceux qui avaient été convoqués étaient là. Même Jean-Claude. Gouin-Girouard se demandait ce que l'agent aux impondérables faisait là. Martin Martin n'avait pourtant pas l'air de le tenir en haute estime. Je continue d'être mal à l'aise. Qu'ils se dépêchent de nous lire les volontés de Martin Martin, qu'on en finisse!

Martin Martin laissait de l'argent à toutes sortes d'organisations. Tout le monde avait une part: la Croix-Rouge, les aveugles, les handicapés, les sociétés scientifiques, littéraires, les musées. La liste n'en finissait plus. Même les locataires des immeubles brûlés avaient leur part: de quoi oublier leurs vieux meubles perdus dans les incendies. « À monsieur Louis Gouin-Girouard, mon ami de longue date... » Gouin-Girouard en arrivait à oublier son malaise: il avait la collection et plusieurs tableaux en plus. Il était heureux: il voulait être heureux. Qu'est-ce que j'ai à me sentir, en pensée, marcher de long en large? Il avait continué d'écouter et la surprise était venue comme une bombe: la surprise lui avait éclaté au visage. La volonté piégée de Martin Martin: « Jean-Claude Miron, mon fils illégitime... » L'agent aux impondérables avait la moitié de ce qui restait de la fortune. L'autre moitié allait à mademoiselle Valérie Benoit... Il n'avait rien accolé à Valérie Benoit. Qu'est-ce qu'elle était pour lui? Gouin-Girouard avait encore assez de lucidité pour se le demander. Elle n'était pas là, Valérie, elle n'avait pas répondu à l'invitation du notaire.

Jean-Claude sentait peser le regard de son commissaire: on peut dire ça.

— Je suis surpris.

— Il s'est passé beaucoup de choses en peu de temps.

— Évidemment.

Valérie n'était pas encore retournée au bureau. Elle avait demandé une semaine de congé de maladie. Elle le disait à Jean-Claude.

— J'aimerais mieux que tu t'en ailles tout de suite.

— Si on allait marcher un peu tous les deux. Ça te ferait du bien.

Elle n'avait qu'une robe de nuit légère, une grande chemise de tricot collant. Enceinte! *Évidemment*, comme dirait Gouin-Girouard. J'aurais dû le savoir.

— Comme tu vois! Je suis enceinte de Martin Martin.

— Il t'a couchée sur son testament.

— Quel ton ironique tu prends!

— C'est un ton jaloux.

— Je ne voulais pas d'enfant. Il m'avait dit qu'il avait subi une vasectomie. Ce n'était pas vrai. Maintenant que je l'ai, je l'ai. Je voudrais qu'il soit beau, intelligent, heureux. Tous les parents en souhaitent autant pour leurs enfants.

— Tu n'es pas venue chez le notaire.

— Sûrement pas.

— Tu as la moitié de la meilleure part. Moi, j'ai l'autre.

— Pourquoi toi? Tu le connaissais bien?

— C'était mon père secret.

— Un drôle d'homme. Un homme illogique.

— Dufresne cite toujours un proverbe portugais :
«Dieu écrit droit sur des lignes obliques.» On en est
peut-être tous là, Martin Martin comme les autres.

— Moi aussi, j'écrirais droit sur des lignes obliques ?

— Toi aussi.

Achevé d'imprimer le 26 janvier 1976
par les travailleurs des ateliers Marquis Ltée
de Montmagny